CHIEN ROUGE
Dans les rêves de Gauguin

Marie Sellier

Nathan

Je suis un sauvage,
un loup dans les bois sans collier.
GAUGUIN (lettre à Charles Morice,
Tahiti, juillet 1901)

Où tu vas, chien rouge, qu'est-ce tu fais ?
T'es un drôle de cabot, tu sais !
Vous dérangez pas pour moi, j' fais que passer,
j' suis rien qu'un chien, sans collier, sans passé.
Ici, y a pas de ciel, y a pas de place pour lui,
le lagon est rouge et les oiseaux ont fui.
J'ai rien dans le bide, j' suis affamé,
l'œil vide, jamais rassasié.
J' vais vous dire un secret,
j' sens la terre bouger mais personne ne le sait.
Là-bas sur l'herbe crue, des femmes dansent
et font tourner leurs hanches,
courbettes et courbettes
devant l'idole violette.
Et là devant votre nez, regardez-les,
les vahinés lisses et bien roulées.
La fille en bleu, elle souffle dans son pipeau,
un p'tit air qui fait vibrer l'air chaud.
Tout ça, c'est bien beau,
mais on est dans un tableau.
Ce Gauguin qui l'a peint,
il a peut-être tout rêvé, hein ?
Si la vie était si belle,
ça se saurait, mesdemoiselles !
Moi, j' vous dis, y a pas d'échelle
pour monter au ciel.

Vert citron

*F*ormidable, *fooormidable.*

Tu étais formidable, j'étais fort minable…

La voix de Stromae enfle, se déploie, remplit la pièce. Sa voix comme une spirale dans la cuisine aux carreaux verts. Les carreaux de papa. C'est lui qui les a faits. Émeraude, pistache, olive, citron, ils sont tous différents.

Et le ventre, les poumons de Line se remplissent de la voix de Stromae. Et la peau de ses bras se hérisse, comme si elle avait la chair de poule. Mais elle n'a pas froid. Il ne fait pas froid du tout aujourd'hui. Un rayon de soleil lèche la table. Verte, la table, comme les carreaux.

Nous étions formidables…

Maman s'assied pesamment. Ses cheveux blonds sont emmêlés, elle porte le même jogging sans couleur qu'hier, qu'avant-hier, que la semaine dernière. Elle ne prend même plus la peine de se changer, maman, de laver ses affaires, de se laver tout court.

Elle s'en fiche. Elle se fiche de tout.

Elle a mis la musique à fond, c'est son truc en ce moment et, bingo ! elle se met à pleurer. Ça ne loupe pas. La voix de Stromae fait déborder maman. Son nez rougeoie comme la veilleuse champignon de la chambre de Clovis, ses yeux deviennent liquides. Marée haute.

Elle ne tourne pas rond depuis que papa est parti, elle tourne en rond. Son café au lait doit être salé avec toutes les larmes qui tombent dedans, qui barbouillent ses joues de noir. Elle ne s'est même pas démaquillée hier soir.

Clovis est entré dans la cuisine sans faire de bruit. Clovis est une souris, il est tout petit. Il verse des céréales dans son bol puis le lait, des gouttes giclent sur la table verte, et il tourne, il touille, ça fait une bouillasse beigeasse écœurante, qui se mélange à la voix de Stromae, aux larmes de maman.

Stromae a la voix de papa, ou plutôt son accent. Un accent belge qui s'entend fort, là justement, sur *fort bourré*. Il n'y a pas de hasard. Bourré comme lui ces derniers temps. Lui aussi avait la voix qui tremblait, lui aussi pleurait. Comme Stromae à la fin de sa chanson.

– Non mais c'est pas bientôt fini ? C'est quoi ce bordel encore ?

C'est Milo. Il se précipite sur la base, retire le portable. On dirait un ballon qui se dégonfle, *Fooormidaaaaaable…* le feulement d'un vieux chat castré.

– Tiens, reprends-le, ton engin !

Mais maman ne fait même pas le geste de s'en emparer. Trop de désespoir tue.

Milo est torse nu, il s'étire, faut se ressaisir, quoi ! Papa s'est barré, et alors ? C'est tout de même pas la fin du monde, ça arrive tous les jours à des gens très bien.

– Visez-moi ces pectoraux, les filles !

Avant, il avait un creux au niveau du sternum, à cause de l'asthme, mais depuis qu'il fait des pompes, Milo, cent tous les matins, il s'est super musclé.

– Matez-moi ces biscoteaux !

C'est essentiel, la muscu, quand on saute. Parce que le truc de Milo, ce qu'il kiffe vraiment, c'est de faire l'oiseau. Se balancer dans le vide, voler. Le BASE jump, l'extrême absolu. Les parents disent qu'il est fou, que ce sont des trucs de trompe-la-mort. Ils ne peuvent pas comprendre, le cœur qui se bloque quand on tombe comme une pierre, comme si on allait s'écraser tout en bas – quitte ou double, ça passe ou ça casse –, et puis soudain la libération, les ailes de l'ange qui se déploient, le corps qui plane, le froid aux tempes et l'éblouissement de découvrir le paysage qui se déroule sous ton corps en apesanteur. C'est comme un alcool fort, ce truc-là, ou une drogue. Ils lui ont demandé d'arrêter, les parents. Ils ont exigé, ils se sont fâchés, ils ont gueulé. Résultat : maintenant, il ne dit plus rien, il saute en cachette. Il n'en parle même pas à Line. Ce n'est pas qu'elle cafte, mais elle ne peut pas s'en empêcher, elle finit par tout raconter à maman.

– CLOVIS !

Wouah ! Mais qu'est-ce que c'est que ce hurlement ? Elle a crié tellement fort, maman, que Milo en a renversé la moitié de son café.

– Mais qu'est-ce qui te prend ? Arrête, tu es fou !

Elle se jette sur Clovis, s'empare du couteau qu'il tripote l'air de rien. Qu'est-ce qu'il a fait encore, celui-là ? Oh là ! Grave de grave ! Il a saccagé la boîte à sucre fétiche de maman, il a littéralement défiguré la vahiné. Plus de visage ! À la place, il y a un petit rond de fer blanc encadré de cheveux noirs. Sacrilège !

Maman continue à crier.

– Mais enfin pourquoi, Clovis ? Pourquoi ?

– J'en avais assez qu'elle me regarde manger avec ses yeux de vache. Je l'ai assez vue, cette nana.

Il a de la répartie, le petit frère.

On lui aurait donné un coup de massue sur la tête, à maman, ça lui aurait fait le même effet. Elle s'est rassise, l'air consterné. Elle a la voix qui tremble. Putain, elle va se remettre à pleurer. Elle dit :

– Mais enfin, Clovis, c'est un Gauguin !

Le Gauguin de la boîte à sucre

Cette boîte, la boîte au chien rouge, les trois enfants de Bruyn l'ont toujours connue, elle ne quitte pour ainsi dire jamais la table de la cuisine. Elle fait partie des meubles. Ils la voient tous les matins au petit déjeuner, ils la voient tellement qu'ils ne la voient plus en fait, la boîte fétiche de Péné de Bruyn, leur mère. Le premier cadeau de Paul de Bruyn, leur père. Elle n'est pas particulièrement belle – elle ne casse pas des briques, comme dit Milo –, mais Péné l'idolâtre, cette vieille boîte, à cause du tableau de Gauguin qui est dessus. LEUR tableau, avec vahinés nonchalantes au bord de l'eau et chien rouge juste devant. *Arearea*, c'est son nom, et ça veut dire « Joyeusetés » ou quelque chose comme ça.

Elle a toute une histoire, cette boîte. Paul, qui n'était pas encore le père des trois enfants de Bruyn mais un jeune étudiant aux Beaux-Arts, est tombé raide dingue de ce tableau lors d'une visite au musée d'Orsay. Énorme émotion ! Un truc d'une violence inouïe, comme une lame de fond qui te happe, te drosse et t'entraîne vers les profondeurs, les couleurs lui ont littéralement explosé à la figure.

Mais surtout, à ce moment précis, là, devant ce tableau, il a compris qu'il était sur cette terre pour être peintre.

Tout ça paraît un peu grandiloquent, mais c'est bien ainsi qu'il le raconte, Paul de Bruyn : Gauguin, source vive de sa vocation de peintre. Une histoire qui a quasiment pris la dimension d'un mythe dans la famille de Bruyn, l'équivalent de Romulus et Remus pour la naissance de Rome ou du cheval de Troie dans la mythologie grecque. D'autant que devant le tableau il y a Penelopa, dix-neuf ans, Espagnole, la future mère des enfants de Bruyn. Une longue tige brune – beau port de tête, regard magnétique –, une fille superbe, bourrée de charme (charme dont Milo a hérité, tout le monde en convient).

La légende veut que Penelopa ait murmuré :

– C'est comme une rêve.

(N'oublions pas qu'elle est espagnole.)

Et que Paul ait répété :

– Oui, comme une rêve.

(Bien qu'il ne soit pas du tout espagnol.)

Ce n'est pas très édifiant comme dialogue, mais

c'est pourtant bien ainsi que tout a commencé. Cinq mots et hop ! emballé. On a le mythe qu'on peut. Le leur, celui qui a fondé l'histoire de la famille de Bruyn, n'est pas bavard.

Paul et Péné de Bruyn se sont bien rattrapés par la suite. Des mots il y en a eu, et pas toujours des tendres. Mais leur passion pour Gauguin, elle, est restée intacte. À tel point qu'ils ont, à peu de chose près, prénommé leurs trois enfants comme ceux que le peintre a eus avec sa femme Mette : Milo pour Émile, Line pour Aline et Clovis, rien de changé, le seul a avoir été épargné. Jusqu'au chat de la famille de Bruyn, un petit fauve tout en pattes noires, nommé Marquise en référence aux îles où Gauguin a passé les dernières années de sa vie et où il est enterré.

Marquise qui précisément vient se frotter aux jambes de Milo qui, lui, s'étire de nouveau – comme un débile, pense Line –, se caresse le torse et rote avec une délectation provocante.

Si Péné de Bruyn avait été dans son état normal, sûr qu'elle aurait bondi, toutes griffes dehors, et exigé de son fils qu'il s'excuse, mais pour le moment il faut faire sans elle, elle a totalement abdiqué et ce n'est pas la défiguration de sa vahiné préférée qui va arranger les choses.

Milo frappe la table du plat de la main sur un rythme syncopé, bien cadencé, et se met à fredonner :

J' kiffe plus cette famille qui se recroqueville,
trop fragile, tout vacille, vivement la quille,
que j' me tire, me casse, reprenne mes billes.
Pas fameuse, la famille, tchao les filles !

Milo vient de se mettre au rap…

Pas rose

Il y a un mois que Paul de Bruyn est parti, et depuis l'ambiance familiale est à la sinistrose aiguë.

«Si encore il s'était cassé pour une nana», soupire Milo. Mais même pas. Il a pris la poudre d'escampette pour avoir la paix, pour échapper à la grande litanie des plaintes conjugales, du style : «Tu as appelé la galerie Machin, tu as relancé Truc, tu as avancé sur ton site ?» Ou encore : «Mais remue-toi ! Tu t'avachis devant la télé pour ne pas penser, tu pourrais au moins faire les repas ou les courses, j'en ai assez de me taper des doubles journées, moi aussi, j'aimerais prendre mon temps », et cætera, et cætera.

Le fond du problème, c'est que Péné de Bruyn estime s'être sacrifiée pour son mari. Pour permettre à Paul de se consacrer à la peinture, elle a accepté de travailler dans un cabinet de conseillers fiscaux. Et vingt ans après elle y est encore. Alors qu'elle rêverait d'être décoratrice ou brocanteuse. Chiner, dégotter de vieux machins, les rafistoler, les assembler, en faire des merveilles, voilà à quoi elle aimerait occuper ses journées.

Si encore Paul de Bruyn avait percé, si encore sa peinture avait été reconnue ! Mais il fait du rase-mottes depuis vingt ans, inconnu au bataillon des grands artistes contemporains. Un loser, dit sa femme quand elle est vraiment énervée. Autant dire qu'elle s'est sacrifiée pour rien.

Maintenant, pourquoi n'a-t-il pas décollé ? Mystère !

Ce n'est apparemment pas par manque de talent. Tout le monde pense qu'il en a, mais… il y a la crise, la récession, un marché de l'art incertain, le manque de chance, le manque de travail peut-être aussi. Et puis en France, c'est bien connu, les gens achètent peu de peinture. La cote d'un artiste se bâtit à l'international. Ce n'est pas nouveau : déjà au temps des impressionnistes ou de Gauguin, les amateurs d'art étaient plus nombreux à l'étranger.

Aujourd'hui, seuls quelques artistes connus, les Damien Hirst, les Jeff Koons, les Boltanski et quelques privilégiés, tirent leur épingle du jeu. Leur notoriété en a fait des valeurs sûres, des valeurs refuge. La crise, ils ne connaissent pas : ils vendent. Le parcours du combattant, c'est pour les autres. La dèche, dirait Milo.

Mais le marché de l'art n'explique pas tout. Il faut bien dire aussi que Paul de Bruyn boit trop. C'est un fait. Le jeune homme frémissant en extase devant le chien rouge de Gauguin est devenu un quadragénaire ventripotent et désabusé qui s'abrutit de pastis et de bière. «Un alcoolique», constate Milo avec froideur. Pas étonnant que l'amour ait pris du plomb dans l'aile.

Clovis empile les bols dans l'évier, puis, d'un revers de main, fait disparaître les miettes et les traces de café de la table. Il y a entre Line et lui un accord tacite depuis que leur mère s'est mise en vacances des tâches ménagères (plus de courses, plus de cuisine, plus de ménage) : Clovis gère le matin et le pain, Line s'occupe du soir et du supermarché. Milo, lui, est au-dessus de ces contingences matérielles. S'il n'y a rien à manger à la maison, il squatte chez Oscar, qui habite la rue d'à côté, ou chez Martin, qui n'est guère plus loin.

– Tchao tout le monde !

Comme tous les dimanches, Clovis va rejoindre ses potes au foot, puis il ira jouer à la console chez l'un ou chez l'autre, sans doute chez Mehdi, dont les parents travaillent le week-end. Le foot et la console, il n'y a que ça qui compte vraiment pour lui en ce moment.

Quant à Milo, il a rendez-vous dans cinq minutes avec Martin et Oscar. Au programme : saut à l'élastique d'un pont de Seine-et-Marne. Si Line est au courant, ce n'est pas parce qu'il le lui a dit, mais parce qu'elle a par hasard intercepté un SMS sur le portable de son frère.

Dans la famille de Bruyn, il y a longtemps qu'on ne se parle plus.

Blanc et noir

Line est la dernière à partir. Elle tire la porte derrière elle et dévale l'escalier, un petit signe de la main à madame Alvez, la gardienne, qui aspire le paillasson de sa loge, et hop ! elle est dans la rue. Elle respire un grand coup, il fait doux et elle est soulagée d'échapper à l'atmosphère pourrie de drame de la maison, heureuse de rejoindre Morgane et Kira, même si c'est pour travailler sur leur sujet d'histoire de l'art – ou plutôt «des arts», comme il faut dire maintenant –, la matière qui tue, les profs eux-mêmes le reconnaissent. Une vraie prise de tête !

Pas plus tard que la semaine dernière, Line a surpris Cordier – la prof d'histoire-géo – et Vargal – la prof d'arts plastiques – qui se lamentaient dans le couloir : «Le programme est gigantesque et on n'a même pas de manuel… Travailler en équipe, associer les savoir-faire, aborder les territoires inexplorés, ils en ont de bonnes, à l'Éducation nationale ; comment veulent-ils qu'on fasse ? On le trouve où, le temps ?»

Mourier, le prof de français à la moumoute teinte, s'est joint à la conversation :

– Si ça continue, je boycotte la matière. Qu'est-ce que je risque ? À deux ans de la retraite, je vais pas m'emmerder avec ça.

Qu'est-ce qu'il n'avait pas dit, Mourier ! Les deux autres lui sont tombées dessus comme des furies :

– Mais enfin, Albert, et les élèves, tu as pensé aux élèves ? Nous sommes tenus de les préparer. C'est un oral, d'accord, mais coefficient deux, comme le français, les maths ou l'histoire.

– Et alors ! Ce n'est quand même pas la mer à boire de torcher un petit exposé sur l'impressionnisme ou le cubisme. On trouve tout tout prêt sur internet : un bon petit copier-coller et l'affaire est dans le sac !

Cordier et Vargal étaient outrées.

– Tu sais bien que ce n'est pas aussi simple que ça, il faut croiser les disciplines.

– On n'arrête pas le progrès ! a éructé Mourier.

Et puis, il a vu Line et s'est mis à hurler :

– Dis donc, toi, qu'est-ce que tu fais là à écouter aux portes ? Tu veux peut-être que je te ménage un petit rendez-vous avec le proviseur pendant qu'on y est ?

Alors elle a filé sans demander son reste.

Line, Morgane et Kira, on les appelle les Triplettes. Pas parce qu'elles se ressemblent – au contraire, il n'y a pas plus différentes qu'elles –, mais parce qu'elles ne se quittent pour ainsi dire jamais. Ça dure depuis la maternelle, cette histoire-là. Quasiment sans une dispute, ou alors juste trois minutes. Elles ne sont pas toujours d'accord, mais raccord sur tout, oui, du genre complémentaires, et ça, souligne Kira, c'est hyper rare.

Aujourd'hui, elles se retrouvent chez Morgane, qui habite dans le quartier résidentiel chic de cette commune de la banlieue parisienne où elles ont toutes les trois grandi. Claire, sa mère, passe le week-end en Normandie avec son nouvel ami et ne rentrera pas avant ce soir. Elles auront tout l'appartement pour elles seules.

Elles ont déjà choisi leur sujet. Cordier leur en avait suggéré plusieurs, mais aucun ne les branchait vraiment : Picasso, Guernica et la guerre d'Espagne, l'art de l'entre-deux-guerres, l'art dans les camps... La guerre, toujours la guerre, elles en ont soupé de la guerre. Pourquoi ne pas choisir tout simplement de parler d'un artiste qu'elles aiment ?

– Gauguin, par exemple ! a lancé Line.

C'est venu presque malgré elle. Quand elle pense peintre, elle pense Paul, forcément : Paul de Bruyn, son père, et Paul Gauguin. C'est un peu binaire, mais c'est comme ça.

– Qui ? a demandé Kira.

Line n'en revenait pas. Que Kira, dont la culture générale est bien supérieure à la sienne, ne sache pas qui était Gauguin, c'était comme si Clovis n'avait jamais entendu parler de Zidane.

– Il y a des peintres plus connus, a tempéré Morgane.

Line n'a pas voulu en rajouter, mais tout de même, les paysages des îles, les vahinés, les chevaux sauvages, on les voyait à peu près partout.

Elle est allée chercher une reproduction d'un tableau de Gauguin pour la montrer à Kira, le portrait d'une Tahitienne nue allongée au bord d'un lagon.

– Ah oui, je vois, a dit Kira. Un amateur d'exotisme ! Le genre à peindre de bonnes sauvages à poil sous les cocotiers. Mais moi, la femme primitive dans toute sa splendeur, l'icône des tropiques à l'état brut, c'est pas vraiment mon truc. Ce mec, je le vois plutôt comme un prédateur, le genre de type qui me fait fuir : sois belle et tais-toi ; je te prends, et après je te jette.

Elle était lancée, Kira. La femme de couleur en marge de la société, opprimée et maintenue sous le joug masculin, c'est son dada. Elle dit que même en France les femmes chocolat, café au lait et autres ne pèsent pas le même poids que les blanches, que les Français sont encore trop racistes – elle appelle ça le « racisme ordinaire » –, qu'il faut que ça change, et cætera, et cætera. Elle a un discours imparable sur le sujet.

De toute façon, c'est décidé : plus tard, elle sera avocate pour défendre les immigrées, les maltraitées, toutes les femmes qui souffrent du seul fait d'être femme. Difficile de l'arrêter quand elle part en guerre.

– Eh bien, on le tient, notre sujet, a dit Morgane : Gauguin et les femmes du xixe siècle.

– Pour un sujet fun, c'est un sujet fun ! a ricané Kira. On va s'amuser !

Triangle blanc

Elles vont arriver, elles ne vont pas tarder. Quelle galère ! Pour la première fois peut-être, Morgane ne se réjouit pas de voir Line et Kira.

Elle n'a qu'une envie, c'est d'être avec lui.

Il a dit : «*My baby love*, je te SMS dès que je connais mon programme. Tu vas me manquer, *my suricate*. Ne sois pas fâchée, c'était prévu depuis longtemps, je rentre le plus tôt possible.»

Il a aussi dit : «Je t'aime, Morgane.»

Il prétend que c'est parce qu'elle a un nom de fée qu'elle l'a ensorcelé, qu'elle n'est pas comme les autres filles, qu'elle est douce, comme d'un autre temps, qu'il aime son odeur de laine, que plus tard il sera roi et qu'elle sera sa reine… Il dit n'importe quoi, qu'elle le rend joyeux, léger, qu'il ne se reconnaît pas lui-même, qu'avant il était sombre.

La petite note du message a retenti juste au moment où les filles sont arrivées : «Ce soir, 18 heures. Peux pas faire mieux, grizzli chéri. Promis, je t'appelle pour te dire où. Je t'M. »

Le plus dur, c'est de ne rien pouvoir dire. Mais sur ce point il a été intraitable, il ne veut pas que Line et Kira sachent, pour eux deux : «Laisse-nous le temps d'être nous, sans elles. »

Difficile de faire comme si de rien n'était alors qu'elle a son nom sur la langue, comme un oiseau prêt à s'envoler, et qu'à l'intérieur d'elle-même c'est le grand chambardement, avec cascades, feux d'artifice et lancers de fusées.

Elle va ouvrir et elle s'en veut aussitôt de sa tiédeur en les découvrant toutes les deux – grands sourires, juste magnifiques – dans l'encadrement de la porte. Kira, toute pain d'épice et cheveux noirs si noirs qu'ils en paraissent bleus. Kira, la classe absolue, la plus grande d'elles trois. Et Line, à côté d'elle, aussi rousse que Kira est brune – peau laiteuse, taches de rousseur –, avec une dégaine de mec – éternel jean troué, baskets, blouson de cuir râpé. Jusqu'à présent elle était un peu boulotte, mais elle est en train de rattraper Kira à toute vitesse : elle a pris au moins vingt centimètres depuis le début de l'année. Elle sera grande et Morgane, la blonde – il en fallait une –, est en passe de devenir la naine du groupe – il en fallait une aussi ! Un mètre soixante et un et demi, ce n'est pas terrible ! Et il y a des chances pour qu'elle ne grandisse plus. Mais bon, *small is beautiful !*

Linc et Kira se débarrassent de leur sac, de leur blouson et tombent en extase devant la dernière acquisition de la mère de Morgane, un ordinateur blanc, écran géant, un vrai bijou informatique. C'est vrai qu'il en jette ! Elles se vautrent dans le canapé, prétendent qu'elles ne connaissent rien d'aussi confortable, qu'un machin pareil ça fait aimer le luxe, que c'est décidé, elles s'installent ici à vie… Morgane a l'impression d'avoir deux grenades dégoupillées dans le salon !

– On est trop bien chez toi, dit Line.

Et Kira :

– Je ne vois pas comment on va pouvoir travailler.

Elles énumèrent tout ce qu'elles aimeraient faire à la place : voir le dernier Spielberg, écouter de la musique – « mais pas Stromae, pas Stromae », supplie Line –, aller à la mer, cueillir des mûres – ça n'est pas la saison, mais tant pis, juste pour le plaisir de s'en barbouiller les mains –, se tirer au bout du monde.

– Ça tombe bien, dit Morgane, Gauguin, lui, il y est allé, au bout du monde.

Les autres protestent :

– Oh, t'es pas drôle ! Y a pas que le travail dans la vie.

Mais Morgane est bien déterminée à avancer.

– Il faut qu'on s'y mette, les filles. Allez, Line, toi qui es la pro de Gauguin, dis-nous tout sur lui.

En vérité, Line ne sait pas grand-chose de la vie de Gauguin, sinon qu'il a vécu en Polynésie, qu'il y a peint des tableaux très colorés, et qu'auparavant il a séjourné en Bretagne dans un petit patelin qui a un drôle de nom, « Poule dru » ou quelque chose dans le genre, pas très loin de Pont-Aven. Pont-Aven, ça, elle en est sûre, parce que son père y va souvent en ce moment, et y est peut-être d'ailleurs actuellement.

Ce qu'elle sait aussi, Line, c'est que Gauguin était plutôt du genre radical. Son boulot, sa femme, ses enfants, il a tout bazardé pour se consacrer à la pein-ture. Elle dit : « Un peu comme papa, vous voyez ce que je veux dire ? » Et elle a un petit rire qui sonne faux. Kira et Morgane ne font aucun commentaire, elles savent bien toutes les deux que Paul de Bruyn leur a fait un sale coup à tous, en les plantant là.

Soupe colorée

– Et ton Gauguin, dit Kira, je suppose qu'il n'avait pas un radis, qu'il a vécu dans une misère noire sans vendre un tableau. Et qu'en plus il était malade. L'artiste avec un grand A, quoi !

Line grimace.

– Tu exagères, ce n'est pas *mon* Gauguin. Et d'abord, je ne suis pas une spécialiste, t'as qu'à regarder sur internet.

– Attendez, les filles, les interrompt Morgane, je vais voir dans la bibliothèque si maman n'a pas un bouquin sur lui. C'est une fan d'histoire de l'art.

Il y en a en effet trois : une biographie dans une collection de poche, un roman – *Le Roman de Paul G.* – et un tout petit recueil, *Noa Noa*, écrit par Gauguin lui-même.

– Les bouquins, ce sera pour après, décrète Kira.

Elles se serrent toutes les trois devant l'ordinateur. La banquette est du genre rikiki, mais elles se sentent bien, collées les unes contre les autres, comme des hirondelles sur un fil électrique. Au signal sonore, l'écran se teinte de bleu puis laisse la place à une Morgane en noir et blanc, format géant, les cheveux relevés, une épaule dénudée.

– Waouh ! La star !

Morgane rougit.

– C'est pas vraiment moi, je me trouve trop… enfin, pas assez naturelle.

– Tu veux dire sophistiquée, suggère Kira, qui est LA spécialiste du mot juste. Oui, peut-être un peu, mais t'es canon.

– Et stylée ! ajoute Line. Une vraie bombe !

– N'en jetez plus, les filles !

Elle tape « Paul Gauguin peintre » dans la barre de recherche et clique sur l'onglet Biographie dans le menu déroulant.

– Non, attends, dit Kira, moi, je veux d'abord voir ce qu'il a peint. Je vous rappelle que je débarque, Gauguin, j'y connais rien de rien !

– On ne peut pas être top niveau en tout, soupire Line.

L'écran se couvre de vignettes, comme des timbres-poste à touche-touche, il y en a des dizaines, des centaines peut-être. Morgane clique sur la première. Ce n'est pas une peinture, mais une photo de Gauguin, une toque en astrakan vissée sur la tête, un pinceau à la main et les paupières lourdes comme s'il tombait de sommeil.

– Ouh là, c'était pas un marrant ! constate Kira. Allez, on oublie le bonhomme et on regarde les tableaux !

– Bien, chef ! dit Morgane en embrayant sur la deuxième vignette.

Un portrait de femme envahit l'écran. Une femme solidement campée sur ses grands pieds (vraiment immenses, les pieds, au moins du 48) dans le cadre luxuriant d'un jardin tropical. Elle fait un geste en direction d'une fleur – à moins que ce ne soit une plume de paon, avec son gros œil bleu au milieu –, peut-être pour la cueillir. À sa droite, deux formes rouges font penser à des poissons volants aux formes déchiquetées. Mais, à y regarder de plus près, ce ne sont pas des poissons, plutôt les ailes d'une bestiole des tropiques, une sorte de lézard bizarre.

Morgane lit la légende :

– *Te nave nave fenua : Terre délicieuse.* C'est sa compagne, Teha'amana, qui a servi de modèle à Gauguin pour cette Ève tahitienne.

Le tableau est étrange et très beau, et, bien qu'elle soit entièrement nue, la femme n'a rien d'impudique.

Sa présence est évidente, elle est aussi essentielle dans le paysage que l'arbre qui se déploie derrière elle.

Morgane active la fonction diaporama et les peintures de Gauguin se mettent à déferler, une nouvelle toutes les trois secondes, sur fond d'ukulélé 100 % polynésien. Les reproductions ne sont pas forcément d'excellente qualité, mais leur enchaînement donne une bonne idée du travail du peintre, même si les rouges bavent, des jaunes scintillent et les verts virent au fluo.

– Ah, celui-là, je le connais ! s'écrie Kira. Tu peux retourner en arrière ?

Elle en a de bonnes, ce n'est pas si simple, il va à toute allure, ce diaporama. Arrêt, double clic arrière.

– C'est lui !

Trois enfants à table, avec un gros régime de bananes rouges au premier plan.

– Vous vous souvenez, dit Kira, il était dans notre livre de lecture de CE2 !

Elle a une mémoire d'éléphant. Line et Morgane n'en ont pas le moindre souvenir.

Morgane continue à faire défiler les tableaux, des paysages saturés de couleurs, des femmes graves et silencieuses, parfois complètement nues, parfois comme endimanchées dans des robes d'occidentales à col de dentelle. Les mêmes peintures reviennent plusieurs fois, il n'y a que les couleurs qui varient, du rose à l'orange, du bleu-gris au cobalt, du jaune paille au citron acide, à se demander lesquelles sont fidèles aux tableaux.

– Bon, O.K., on en a assez vu, décrète soudain Kira. On passe à la bio.

– À vos ordres ! dit Morgane.

Cela dit, elle a raison, Kira. À la longue, tous ces tableaux mis bout à bout sur l'écran, ça faisait une drôle de soupe des îles, un mélange indigeste à force d'être coloré.

Retour au web, direct sur Wikipédia.

«Gauguin, date de naissance : 7 juin 1848, à Paris ; date de décès : 8 mai 1903 à Atuona, Hiva Oa, îles Marquises.»

Morgane calcule rapidement.

– Juin 1848, mai 1903, il est donc mort à cinquante-cinq ans. Pas si vieux que ça, finalement. Sinon, les îles Marquises, vous savez où ça se trouve, vous ?

Clic sur le mot en bleu, et un chapelet de confettis phosphorescents se met à clignoter au milieu de l'océan Pacifique. Les Marquises constituent l'un des cinq archipels de la Polynésie française et l'île de Hiva Oa est située juste au milieu. Il paraît que ses habitants sont tatoués de la tête aux pieds. Mais le must de l'île, c'est son cimetière, où sont enterrés Gauguin et Jacques Brel.

Marche arrière, retour à la bio :

– «Peintre post-impressionniste, chef de file de l'école de Pont-Aven, inspirateur des nabis»… lit Morgane.

Kira se met à râler.

– J'en ai marre, c'est toujours la même chose : on ne peut pas parler d'un peintre sans le flanquer dans une boîte, si possible en «isme». Moi, le post-impressionnisme, ça ne me dit rien, et je ne parle même pas de l'école de Pont-Aven ou des nabis. On se sent tout de suite exclu.

Line est bien d'accord.

– Je suis sûre que ça l'aurait fait bondir, Gauguin, d'être étiqueté comme un fromage.

– Bon, on avance !

Morgane continue à lire à voix haute :

– «Le jeune Paul a un an lorsque son père meurt brutalement à bord du navire qui emmène la famille Gauguin au Pérou rejoindre Flora Tristan, sa grand-mère maternelle, qui vit à Lima.»

Line l'interrompt :

– Flora Tristan ? Ça ne vous dit pas quelque chose, ce nom ?

– Ben si, banane, dit Kira, c'est celui de la média-thèque.

Morgane bougonne :

– Si on s'arrête à chaque nom, on n'a pas fini. Allez, allez, on avance !

– Oui, mais là, c'est quand même sa grand-mère, plaide Line.

– On n'est pas aux pièces non plus, surenchérit Kira.

– O.K., d'accord, mais juste cette fois !

«Flora Tristan : femme de lettres et militante socialiste, elle fut l'une des premières féministes.»

L'information met Kira en joie.

– C'est dingue, non ? Sa grand-mère se bat pour la dignité de la femme, et lui, il en fait de la chair à peinture.

– Tu exagères ! dit Morgane. Ses portraits sont magnifiques.

– Vous remarquerez qu'il n'y a quasiment pas d'hommes. Pourquoi des femmes à poil et pas des hommes, hein, je vous le demande ? En plus, je suis sûre qu'il ne les payait même pas, ses modèles, et que par-dessus le marché il se les tapait.

– Oh la la ! Tu ne vas pas recommencer ! soupire Morgane.

Gris et blanc

Line est songeuse.

Qu'est-ce qu'elle avait aujourd'hui, Morgane ? Elle les a presque mises à la porte... Elle avait l'air super pressée qu'elles s'en aillent. Ce n'est pas la première fois que Line la trouve bizarre ces derniers temps. Il y a quelque chose qui cloche, mais quoi ?

Heureusement, elles ont réussi à bien débroussailler le terrain : le gros est fait et elles se sont réparti les livres avant de se quitter. Quel drôle de bonhomme, ce Gauguin ! Il avait vraiment la bougeotte : Paris, la Bretagne, Panamá, la Martinique, Tahiti, les Marquises... il n'a pas cessé de voyager. Comme s'il était perpétuellement en quête de quelque chose qui lui échappait.

– Zut, mes clés !

Il ne manquait plus que ça, quelle tarte ! Elle les a oubliées ce matin en partant. Et son portable avec. Et pour couronner le tout, elle a beau sonner, personne ne vient lui ouvrir. Sa mère a dû aller faire un tour. En soi, c'est plutôt une bonne nouvelle, ça fait des jours et des jours que Péné est claquemurée dans sa chambre. Qu'est-ce qu'elle y fait ? Est-ce qu'elle dort, est-ce qu'elle lit ? Line n'en a pas la moindre idée. Depuis que sa mère a sombré dans la déprime, elle a complètement perdu contact avec elle. Elles sont à des années-lumière l'une de l'autre.

Soudain, le cœur de Line s'emballe, gros flip : «Pourvu qu'il ne lui soit rien arrivé. Est-ce qu'elle prend des médicaments ?… Allons, allons, qu'est-ce que je vais encore imaginer ? Maman m'a certainement laissé un message sur mon portable, je le trouverai tout à l'heure.»

Se calmer surtout et attendre tranquillement sur le palier qu'elle revienne, il n'y a rien d'autre à faire. Après tout, elle a de la lecture. Le livre qu'elle a emprunté à Morgane – *Le Roman de Paul G.* – est au fond de son sac. Elle le sort et commence à lire.

22 novembre 1873.

Il fait un temps de cochon aujourd'hui, le genre de temps que tu détestes, Paul, une petite bruine glaciale transperce les os. Heureusement, l'église est chauffée, il y fait même bon, bien que ce ne soit pas franchement un endroit pour toi, n'est-ce pas, Paul ? Mais à grande occasion, grande concession. Ce n'est pas tous les jours qu'on se marie.

Qui parle ? Line interrompt sa lecture pour jeter un coup d'œil à la couverture. L'auteur est un certain Ari Esmerelli, autant dire un total inconnu, mais elle aime bien cette façon cash qu'il a d'apostropher Gauguin en le tutoyant et en l'appelant par son prénom.

Tu rajustes ton col dur, tapotes les pans de ta veste du plat de la main. Tu te sens un peu gauche dans ton habit empesé, et vaguement nerveux. Tu lèves les yeux et tu la vois qui vient à ta rencontre, Mette, celle qui va devenir ta femme. Elle avance d'un pas décidé, toute de blanc vêtue, comme un navire étincelant qui fend la petite assemblée, famille – surtout la sienne – et amis fidèles – surtout les tiens – réunis pour l'occasion dans l'église luthérienne de la rue Chauchat, à Paris. Elle ne te quitte pas des yeux, Mette, et tu la trouves belle comme jamais, belle et grave dans la blondeur de ses vingt-trois ans.

Elle est danoise, tu l'as rencontré l'année dernière

à Paris par l'intermédiaire d'un ami commun, et toi, le fringant agent de change, tu as été séduit par son entrain et sa force tranquille.

Une femme, un foyer, voilà ce à quoi tu aspires, désormais. Tu as décidé de t'engager et de te poser. Car bien que tu n'aies pas plus de vingt-cinq ans, Paul, tu as déjà beaucoup bourlingué. Tôt engagé dans la marine, tu as navigué sur presque tous les océans et découvert des terres lointaines dont la beauté sauvage et l'étrangeté t'ont subjugué.

Mais tout cela appartient désormais au passé. Aujourd'hui, tu vis à Paris, tu as emménagé dans un bel appartement et tu gagnes bien ta vie.

Tu viens aussi de te mettre à la peinture. Tu es ce qu'on appelle un « peintre du dimanche » mais tu as déjà campé quelques beaux paysages et troussé deux ou trois portraits dont on a dit le plus grand bien. Des débuts prometteurs, juge ton ami Émile Schuffenecker, qui t'encourage à continuer dans cette voie.

Comment pourrais-tu savoir, Paul, alors que tu t'apprêtes à dire oui à Mette, qu'une histoire d'amour autrement plus forte, autrement plus essentielle, est en train de se nouer à ton insu avec cette peinture qui vient de faire irruption dans ton existence ?

Comment pourrais-tu savoir, Paul, que cette nouvelle

venue va tout bouleverser; que ton mariage va bientôt virer au ménage à trois, et qu'une fois la mécanique enclenchée tu ne pourras faire autrement que de quitter Mette et vos cinq enfants pour te consacrer à cette maîtresse très exigeante ?

Mais n'anticipons pas… Mette est venue s'asseoir à ta droite et tu portes sa main à tes lèvres…

Rouge sur vert

– **H**ou, hou !

Line ouvre les yeux. Une grosse tête rouge, dégoulinante de sueur, est penchée sur elle. Clovis ! Il est rentré du foot.

– T'es malade ou quoi ? T'as l'air complètement K.-O.

Elle a dû s'endormir. Elle est crevée en ce moment, elle se couche trop tard, mais le soir elle n'arrive pas à faire autrement, elle tchatche avec Morgane et Kira ou bien elle zone sur internet, il y a toujours des trucs marrants à découvrir et ça l'aide à relâcher la pression. Mais c'est sans fin, cette histoire-là, on peut y engloutir ses nuits.

Clovis ouvre la porte de l'appartement. Son maillot de foot est constellé de taches de boue.

– Tu as bien joué ?

– Pas mal. On a gagné, lâche-t-il en filant vers la salle de bains. Tu ne sais pas où est maman ?

Maman, bien sûr, où a-t-elle la tête ? Line fonce

dans la chambre de sa mère. Sur le lit défait, couette, oreillers et fringues s'accumulent en une montagne molle et du placard ouvert s'échappent d'autres vêtements, il y en a partout. Mais pas de trace de Péné. Pourquoi faut-il toujours que Line imagine le pire ?

Elle a un appel en absence sur son portable. Sa mère, justement ! Elle a cherché à la joindre, mais n'a pas laissé de message. Line tente de la rappeler, tombe à son tour sur sa messagerie. Elle rejoint son frère à la cuisine, Clovis claque la porte du placard à provisions en bougonnant.

– Y a plus rien à becqueter dans cette maison ! Pas une miette. Ça fout les boules. T'aurais pas un euro, que j'aille au moins acheter un truc au coin de la rue ?

– Désolée, j'ai pas un sou.

– La dèche, dit Clovis en s'emparant d'une boîte de raviolis.

Il tire l'anneau, soulève le couvercle, et plonge la main dans la boîte.

– Mais t'es dégueulasse ! s'écrie Line.

– J'ai faim, moi, j'ai à peine déjeuné à midi. Mehdi m'a filé un bout de son sandwich, mais c'était pas assez. Elle rentre quand, maman ?

– Je sais pas.

– Elle t'a pas dit où elle allait ?

– Non, mais elle a essayé de me joindre.

– Elle t'a pas laissé de message ?

– Non.

– Alors t'attends quoi pour la rappeler ?

– Qu'est-ce que tu crois ? C'est ce que j'ai fait, mais elle ne répond pas.

Clovis est répugnant avec sa bouche barbouillée de sauce tomate.

– Tu manges vraiment comme un porc, mon pauvre Clovis.

Et cet animal qui pour toute réponse émet un rot sonore !

– Non mais tu ne vas pas t'y mettre, toi aussi ? Décidément, il n'y en a pas un pour rattraper l'autre dans cette famille ! gémit Line en s'enfuyant dans sa chambre.

Retour à Gauguin :

Les enfants ont épaissi la taille de Mette. La jeune fille lumineuse que tu as épousée, Paul, a cédé la place à une matrone viking, plutôt revêche, surtout depuis que tu as perdu ton emploi d'agent de change.

Elle fulmine, Mette ! Krach boursier ou pas, elle est convaincue que tu n'aurais pas été licencié si tu avais donné le meilleur de toi-même au lieu de ne penser qu'à la peinture, à en dormir debout le jour. Elle dit que tu as perdu la tête ! N'avais-tu pas tout pour être heureux ? Une femme, cinq beaux enfants, suffisamment d'argent pour vivre confortablement et même te constituer une jolie collection de tableaux de peintres impressionnistes. Qu'avais-tu besoin de faire l'artiste ? Quelle lubie t'a pris ?

Il a fallu rendre les clés du spacieux logement parisien, congédier la bonne et quitter Paris pour Rouen. Là-bas, prétendais-tu, vous arriveriez à vous en sortir pour trois fois moins cher.

Ah ! elle se souviendra, Mette, de ce mois de décembre 1883, de votre arrivée dans cet appartement froid et nu avec un nourrisson, le petit Paul, et les quatre aînés malades, morveux, grincheux !

Et toi, Paul, qui fais le faraud et prétends que tu peux réussir en peinture comme tu as réussi à la Bourse. Mette gémit : « Un égoïste et un prétentieux, voilà donc l'homme que j'ai épousé ! Et en plus il se prend pour un génie en peinture. S'il croit qu'on nourrit une famille avec des toiles tartinées de couleurs… »

Voilà six mois que vous êtes à Rouen. Non, décidément, Mette ne se fera jamais à cette ville. À quoi bon attendre ? Sa décision est prise : elle part, elle retourne à Copenhague, où sa famille l'attend à bras ouverts avec les enfants.

Que tu la suives ou pas, pour elle, c'est tout vu : l'expérience a assez duré.

Tu prends la nouvelle avec détachement et même, pour être honnête, avec un certain soulagement. Cette famille trop grande, tu as de plus en plus de mal à l'assumer. Que Mette s'en aille avec la marmaille, qu'elle parte, tu vas enfin pouvoir respirer ! Tu te réjouis à la perspective de n'avoir d'autre compagnie que tes couleurs, tes toiles et tes pinceaux. Tu vas enfin pouvoir peindre jour et nuit, si tu en as envie.

Mais rien n'est simple, rien n'est jamais simple.

Ce n'est pas parce que tu as tout ton temps que tu peins mieux pour autant. Tu tournes en rond. Et puis ce silence dans l'appartement désert ! Passés les premiers jours d'euphorie, il faut bien que tu reconnaisses qu'ils te manquent tous affreusement.

Alors tu pars à ton tour, tu quittes Rouen et tu vas rejoindre Mette et les petits, au Danemark.

C'est peu dire que l'accueil est froid. Glacial. Tu sens bien que ta belle-famille te tolère uniquement parce que tu es le père, mais il est clair que tu exaspères.

La situation tourne vite au désastre : la vente de bâches, le seul emploi que tu aies trouvé, ne rapporte pas assez pour vous faire vivre tous ; Mette, corsetée par sa famille, est à cran ; tes enfants, trop jeunes, sont insensibles à tes tourments.

Mais le pire peut-être, c'est que ta peinture est devenue invisible : elle n'existe plus ! Tes tableaux, on ne les regarde même pas.

« Chaque jour, je me demande s'il ne faut pas aller au grenier me mettre une corde au cou, écris-tu à Pissarro, ton ami peintre. Ce qui me retient, c'est la peinture. »

La peinture, encore et toujours. C'est en son nom que tu quittes le navire. En son nom que tu laisses derrière toi ta femme, tes enfants et ta respectabilité de père de famille.

Tu retournes à Paris. Pour faire bonne mesure, tu as emmené avec toi ton fils Clovis. Et pour survivre, tu colles des affiches sur les murs de la capitale.

Tu ne peins pas autant que tu le voudrais, mais au moins tu n'es plus seul de ton espèce. Grâce à ton ami Pissarro, tu rencontres de jeunes peintres, et, comme tu en as l'habitude, tu participes une nouvelle fois à l'exposition impressionniste de 1886 : tu as retrouvé une famille en peinture.

Mais Paris décidément n'est plus fait pour toi : la vie y est trop chère, on y est trop loin de la nature. Et si tu t'installais en Bretagne ? Tu as entendu parler de

Pont-Aven. L'endroit est, paraît-il, superbe et on peut y vivre pour presque rien.

Ce nom de Pont-Aven… Line ne peut pas le lire sans penser à son père. «Où es-tu, papa ? Que fais-tu ? Tu ne m'as pas téléphoné une seule fois depuis que tu es parti. À peine un SMS en un mois…»

Quelques phrases télégraphiques, rien de plus, vraiment le minimum syndical : «Comment ça va, ma puce ? Moi, je suis O.K. Je reviens de Bretagne où j'ai passé dix jours. Et tes frères ? Ils ne donnent pas de nouvelles. Embrasse ta mère pour moi.» Comme si Line devait être celle qui le relie à eux tous.

Mais elle n'est pas certaine, Line, d'être si bonne que ça en courroie de transmission.

Elle textote : «Et mon papa, comment va ? T où ? Tu travailles bien au moins ? Ici c pas fun depuis que t parti. Tu comptes revenir ? Bisous de ta Line.»

Toute surprise de recevoir une réponse dans la foulée, son père n'a pourtant rien d'un geek : «Suis en Bretagne chez un ami qui a de l'espace. TVB. Ai commencé une fresque de 450 de long. À suivre. Embrasse ta mère. Elle ne répond pas aux SMS. Et tes frères, ils vont bien ?»

Quatre mètres cinquante ! Sa fresque ne tiendrait

pas dans sa chambre ! Elle est beaucoup plus grande que toutes les toiles que son père a jamais peintes jusqu'à présent. Il se lance, il ose… Enfin, se surprend-elle à penser !

Elle va chercher un verre d'eau à la cuisine. Le contenu à moitié renversé de la boîte de raviolis fait une traînée rouge vif sur la table verte.

Le téléphone de Line vibre. C'est Péné.

– Maman, mais où es-tu passée ?

– Je suis à Auxerre.

Mais qu'est-ce qu'elle fait là-bas ? Elle a une drôle de voix.

– Ça n'a pas l'air d'aller.

– Milo a eu un accident.

Des papillons de soie blanche

Morgane a ouvert la fenêtre et les cris des enfants se sont engouffrés dans ses oreilles, ont envahi tout l'appartement. Les cris des enfants jouant dans le parc à côté. Avant, quand elle était petite, elle aimait que sa mère l'y cmmène le dimanche ; elle aimait grimper sur les chevaux du manège armée d'un bâton pour tenter de décrocher le plus grand nombre d'anneaux ; elle aimait caresser la fourrure des petits ânes (chaque fois surprise de la sentir si rêche sous ses doigts alors qu'elle paraissait si douce), mais n'aurait voulu pour rien au monde grimper sur leur dos, ils avaient l'air trop triste, elle s'en serait voulu d'en rajouter à leur peine ; elle aimait sauter sur le trampoline de l'aire de jeux jusqu'à ne plus pouvoir respirer. Avant, il suffisait d'un trampoline pour lui faire battre le cœur. Avant… Maintenant, son cœur fait des bonds comme un animal en cage.

Un air de flûte aigre et fragile monte jusqu'à elle.

Elle se penche, mais ne voit rien ni personne. La musique s'est tue, peut-être a-t-elle rêvé.

Elle regarde les nuages qui passent à toute vitesse dans le ciel comme des lambeaux de barbe à papa et elle sent contre sa cuisse, dans la poche de son jean, la coque en plastique rigide et muette de son portable. Elle ne comprend pas. Il avait pourtant bien dit qu'il rappellerait.

Elle tapote les coussins du canapé, lisse la toison blanche du tapis ébouriffée par leurs pieds, le recentre, vérifie que rien n'est bouleversé dans l'agencement immuable du grand salon blanc… « Help ! Je fais exactement les mêmes gestes que maman ! »

Elle a dit aux filles que sa mère allait rentrer avec son ami, qu'il valait mieux qu'elles ne soient pas là, qu'elle-même allait se carapater dans sa chambre. N'importe quoi ! Mais elle avait le sentiment qu'il fallait qu'elles partent, qu'elle soit seule pour qu'il appelle enfin. Comme si ça changeait quelque chose ! Elle a bien vu le long regard appuyé de Line, un regard lourd de reproches, les formuler n'aurait rien changé, Line pensait à livre ouvert : « C'est bien la première fois que tu nous demandes de partir sous prétexte que ta mère va arriver. Qu'est-ce que c'est que cette embrouille ?

Qu'est-ce que tu nous caches, Morgane ? »

Et ça lui a fait mal, à Morgane, parce que Line et Kira sont ses amies XXL et qu'elles s'étaient juré toutes les trois qu'entre elles, précisément, des secrets, il n'y en aurait pas.

Elle s'assied devant l'ordinateur éteint, miroir noir qui lui renvoie son visage décomposé. « Mais pourquoi, pourquoi ne réponds-tu pas ? Je t'ai envoyé au moins dix messages. »

Elle essaie encore une fois, tombe sur sa messagerie : « Pas là ! » Elle n'est vraiment pas top, son annonce, il faudra qu'elle lui demande d'en changer. Son cœur lui fait mal à force d'être comprimé. Il est comme une balle en mousse dans un poing serré.

Il faut qu'elle se ressaisisse, qu'elle fasse quelque chose, n'importe quoi pour tromper l'attente, pas lire, elle en est incapable, mais regarder des images, oui, le livre sur Gauguin fera l'affaire. Ça ou autre chose...

Elle feuillette les pages, laisse glisser son regard sur les dessins à l'encre colorée et à l'aquarelle : des vahinés sous une pluie de pétales bleus, des fruits dans une chambre bien rangée, un couple enlacé sous un arbre. Le ciel est noir, c'est la nuit... le garçon est dans l'ombre, nu, il regarde la fille dont le regard se perd au loin, elle a la tête appuyée sur sa main, jambes repliées dans son petit paréo bleu à ramures d'or. Ils n'ont pas l'air très heureux, ces deux-là, il ne faut pas être sorcier pour comprendre que ça ne va pas fort entre eux. Et derrière, dans les replis de la nuit, il y a comme des esprits qui rôdent, leurs yeux clignotent entre les troncs sombres des arbres... et le garçon... comme il lui ressemble !... à moins que ce ne soit elle, Morgane, qui le voit partout. Vite, tourner la page.

Le premier chapitre est intitulé *Devenir artiste à tout prix*. Il est illustré de photos, de portraits, dont celui d'un bel enfant qui dort dans ses longs cheveux d'or. On dirait une fille, mais c'est Clovis, le second fils de Gauguin. Des fleurs, des papillons de soie blanche, rosée, des ramages légers flottent sur le mur tendu de bleu de la chambre, comme des rêves échappés.

Morgane survole du regard une mandoline abandonnée sur une table, au pied d'un bouquet de pivoines, pour s'arrêter sur un dessin vivement griffonné, un grand bol rempli d'humains – une femme, des enfants en tas et, surmontant le tout, la tête de Gauguin lui-même, reconnaissable à son nez d'Inca – portant l'inscription «mélasse» en tout petit. Une bonne grosse tasse de mélasse bien écœurante, voilà l'image qu'il se faisait de sa famille. Pas étonnant qu'il ait fui !

Le second chapitre est consacré à la Bretagne. Les coiffes traditionnelles aux ailes blanches comme celles des mouettes côtoient des pommes qui ressemblent à des mangues, des vases-visages, comme des abris à esprits. Et puis il y a encore des enfants luttant dans l'herbe verte, un ange sur la terre rouge, trois chiots tachetés lapant du lait… Les couleurs sont de plus en plus vives, les figures de plus en plus tranchées et bientôt il n'y a plus du tout de perspective.

Une clé tourne dans la serrure. La voix de Claire retentit dans le couloir :

– Coucou, c'est moi ! Comment va ma petite chérie ?

Surtout faire bonne figure.

– En pleine forme !

– Et Line et Kira, elles sont toujours là ?

– Non, elles sont reparties. On a bien avancé sur Gauguin.

Claire entre dans la pièce, elle est comme un soleil, le teint halé, les cheveux tout dorés.

– Tu as regardé dans la bibliothèque ? Je dois avoir quelques livres sur lui.

– Oui, je les ai pris. J'en ai prêté un à Kira et Line, et tu vois, je suis plongée dans le troisième.

Claire se laisse tomber dans le canapé, elle allonge les jambes, étire les bras.

– Il faisait un temps de rêve à Trouville et l'hôtel était juste à côté de la plage. J'ai fait une cure de fruits de mer. D'ailleurs, je t'ai rapporté une surprise pour ce soir. Tu vas voir l'organisation !

Elle jaillit du canapé et extrait de son sac une pochette en plastique qui se met à dégouliner sur le parquet.

– Zut, il fuit ! Je suis dégoûtée. Le poissonnier m'avait pourtant certifié qu'il mettait le pain de glace dans un sac étanche… mais il aurait dû en prévoir deux. Galère ! Mon portefeuille est trempé et tous mes papiers avec.

Morgane ne peut pas s'empêcher de rire : une sole, sa mère lui a rapporté une sole ! Elle est formidable, elle revient de Trouville avec la marée dans son sac.

– Tu es la plus top des mamounettes.

– Je suis dingue, oui ! Mais on va se régaler. Tu me rejoins à la cuisine ?

– J'arrive, j'ai juste un truc à faire.

Toujours pas de nouvelles. Elle rappelle et laisse un nouveau message : « Ton silence me fait flipper. »

Et là, soudain, l'écran qui s'éclaire, la sonnerie qui retentit, son nom qui s'affiche, enfin ! L'animal de son cœur bondit.

Mais au bout du fil, c'est une voix de femme qui demande :

– Morgane… ?

Rouge sale

Kira est super énervée quand elle monte dans le bus. Le précédent lui a filé sous le nez, raté à une seconde près, et il a fallu attendre trois plombes avant que le suivant arrive.

Le conducteur, un grand rouquin à la peau blanche – il pourrait être le frère de Line –, lui fait un petit signe de la tête. Il est sympa, celui-ci, ce n'est pas la première fois que Kira l'a comme chauffeur. Elle s'installe tout devant. Dimanche dernier, il y avait une bande de garçons éméchés à l'arrière qui n'a pas arrêté de faire des blagues douteuses en la regardant. Elle n'a pas aimé ça.

Kira repense à Morgane, elle n'avait pas l'air très en forme. C'était curieux qu'elle leur demande de partir comme ça. Cela dit, elle a le droit d'avoir ses secrets. On a beau être les meilleures amies du monde, on ne peut pas tout partager. Elle le sait bien, Kira. Mais Line, ça lui a fichu un coup. Elle est persuadée que c'est dirigé contre elle. Elle prétend que Morgane l'a regardée d'une drôle de façon. Elle est à vif en ce moment, faudrait pas qu'elle vire parano.

Et voilà, il commence à pleuvoir, quelle poisse ! Elle aurait dû prendre son blouson à capuche. C'est vraiment une vieille caisse, ce bus, il bringuebale sur les pavés, il cliquette comme un vieux tas de ferraille, à croire qu'il va tomber en pièces détachées sur la chaussée.

L'esprit de Kira aussi bringuebale. Ce Gauguin, il ne lui dit rien qui vaille. Elle ne parle pas de sa peinture, mais de lui. Le grand peintre qui traverse les mers pour laisser vivre en lui le sauvage, très peu pour elle ! Il se qualifiait lui-même de « malgré moi de sauvage ». Malgré lui, mon œil ! Il voulait libérer sa peinture, tiens, tiens ! mais pas seulement. Il paraît qu'à Tahiti il vivait avec de très jeunes filles. Kira l'a lu sur internet. Sa compagne avait treize ans ! Aujourd'hui, ça a un nom : on appelle ça de la pédophilie. Sans compter qu'il a certainement dû lui faire un enfant. Il faudra qu'elle vérifie en arrivant à la maison. Ces hommes qui se croient tout permis sous prétexte qu'ils sont loin de chez eux, ça la révolte, Kira. Elle est bien placée pour en parler… Mais justement elle ne veut pas en parler, encore moins y penser. Le sortir définitivement de son esprit.

Le bus longe la voie ferrée, elle est bientôt arrivée. Ici, pas de pierre de taille, de parcs, de jardins, c'est du lourd, cages de béton et à la louche 90 % d'immigrés, 95 % de cas sociaux. Le dépotoir de la grande ville. Bienvenue chez nous !

Elle a intérêt à courir pour ne pas se faire saucer. Mais ça ne sert à rien, elle est trempée quand elle arrive dans le hall de l'immeuble. Cher vieil immeuble pourri à la bonne odeur de vide-ordures, les murs rouge sale à gerber, les boîtes aux lettres défoncées, la cage d'escalier taguée.

L'ascenseur est encore une fois en panne, il faut qu'elle se tape les six étages à pied. Il fait sombre à l'intérieur de l'appartement et une insistante odeur de friture imprègne les murs et le plafond cloqué par un dégât des eaux. La pièce minuscule est traversée d'éclairs bleus, un gugusse s'agite sur l'écran et parle trop fort, encore une émission débile ! Et sa mère qui dort devant, recroquevillée dans le canapé.

Elle a l'air tellement fatiguée avec ses gros cernes bruns sous les yeux, comme des cuillers de plomb, des cuillers de malheur. Elle a à peine trente ans et en fait facilement dix de plus. À côté d'elle, la mère de Morgane, qui frise les quarante-cinq ans, passerait presque pour une jeunette. Quel gâchis ! Son boulot la crève. Aide-soignante à Perpette-les-Oies, la plupart du temps en horaires de nuit, c'est tout ce qu'elle a trouvé. Mais comme elle le dit, elle n'a pas le choix : «Ma fille, il faut bien que je gagne notre vie.»

Il paraît qu'à Madagascar ce serait encore pire. Que là-bas c'est la misère. Alors elles ont de la chance, non ? Vive la vie !

Arizou a dû sentir la présence de Kira, elle ouvre les yeux et son visage s'illumine en découvrant sa fille.

– Mon petit oiseau est revenu. Est-ce que tu as passé une bonne journée ?

– On a travaillé chez Morgane.

– C'est bien, ma fille, il faut travailler beaucoup. C'est important pour avoir un bon métier plus tard.

Cette manie qu'elle a d'énoncer des généralités a le don d'exaspérer Kira. Mais elle ne va pas s'énerver, pas aujourd'hui.

– Hum ! Ça sent bon ! Qu'est-ce que tu nous as préparé ?

– Des accras, des samosas et du poulet malgache, comme tu aimes.

Kira va se blottir dans ses bras.

– Mais enfin, tu devais te reposer aujourd'hui. Tu as travaillé toute la nuit.

– J'ai dormi en rentrant. Mais pas longtemps. J'ai fait des rêves, des mauvais rêves qui m'ont réveillée.

Elle se lève.

– Je ne t'ai pas dit, on a reçu une lettre.

– Ah oui, et de qui ?

– De ton père.

Bouillie verte

Milo, un accident ! Le sang afflue aux tempes de Line, pulse à grands jets sous sa peau, impression de chaud, tous les récepteurs en alerte : le damier de la cuisine qui clignote, vert Polaroïd menthe chlorophylle, l'horloge qui tique-taque MI-LO-MI-LO, le réfrigérateur qui s'ébroue : MI-LOOOOO, tout qui se détraque. NON ! Il a sauté. Il s'est écrasé sur le sol. Est-ce qu'il est… ? Line laisse échapper un gémissement.

– Maman…

Comme un tout petit enfant, une petite fille perdue. Une plainte tremblée, une question sans questionnement.

– Il est à l'hôpital, en soins intensifs.

La voix de Péné de Bruyn est posée, presque trop, les mots bien détachés, hôpital… soins… intensifs, comme si elle se forçait à articuler calmement pour ne pas hurler.

Et pourtant, son cri, son cri inaudible fait trembler

les murs de la cuisine. MI-LOOOO… jusqu'à Marquise qui miaule son nom : MILOOO… Mais il vit, Line, il vit. Alors tout est encore possible, non ? Ça flashe, ça rappe dans sa tête : Milo qui s'étire, torse nu, torse creux – «j' kiffe plus cette famille» – Milo qui dévale le coteau, bras écartés comme un oiseau, qui se roule dans l'herbe – «tout vacille» – se relève, plonge dans le lac, menthe électrique – «vivement la quille»…

– Il est dans le coma, poursuit Péné. Je n'ai pas encore pu le voir. J'attends le médecin.

On ne joue plus, court-circuit, herbe broyée, épinards hachés, saccagés – «tchao les filles». Ô Milo, je t'en supplie, vis, Milo. Elle prie, Line, elle jure : «Il n'y aura plus de tensions, plus de crispations, plus d'énervements, plus de tout ça, je te le promets, plus de rires idiots, plus de sarcasmes à la con.» Comment se fait-il qu'elle n'ait pas réalisé plus tôt, Line, qu'elle l'aimait si fort, son frère ? Comment est-il possible d'avoir pu vivre toutes ces années avec un tel amour chevillé aux tripes sans en prendre conscience ? Toutes les fibres de son corps sont rattachées à lui, ils ont la même peau. Pourquoi faut-il cette peur effroyable de sa perte pour que soudain elle le réalise ? Elle chuchote :

– Il est tombé, c'est ça, il est tombé ?

– Pas du tout, il n'a même pas sauté.

– Mais alors ?

Un accident. Une voiture, ou plutôt une camionnette, qui a percuté le van de Martin. Milo était assis à côté de lui, sur le siège avant. C'est lui qui a tout pris. Les autres n'ont presque rien.

– Tu as prévenu papa ?

Il y a un silence, un silence comme une pierre. Et la voix de Péné se fait cassante :

– Qu'est-ce que ça change ?

– C'est son fils.

– Alors fais-le, toi, préviens-le ! Moi, je n'ai pas le courage.

Elle tiendra Line au courant pour Milo, oui, promis. Qu'elle s'occupe bien de Clovis. Et pour l'argent, qu'elle demande à madame Alvez. Elle la remboursera à son retour.

– O.K., maman… Tiens bon.

Et Péné qui murmure :

– Ça va… ça va aller.

Line raccroche, Marquise se colle à ses jambes, son ronronnement comme un moteur : MILOOO… «Arrête, va-t'en, je vais devenir folle.» Les carreaux se brouillent, bouillie verte, elle s'affale sur la table.

À sa place : ce matin, il était assis, ici exactement…
son frère.

– Tu dors encore ou quoi ?

Clovis ! Une souris, un petit rat, les cheveux en
pétard. Lui dire qu'elle vient d'avoir maman, que…
lui dire exactement comme ça :

– Milo a eu un accident de voiture.

– Mais il ne conduit pas !

Clovis et sa logique implacable ! Line répète ce
que lui a dit sa mère : Milo à côté de Martin, elle
pense « à la place du mort » – c'est comme ça qu'on
dit, non ? –, mais elle se garde bien de prononcer le
mot. Ne pas parler de mort, surtout. La camionnette
qui leur rentre dedans…

– C'est grave ?

Hôpital d'Auxerre, soins intensifs.

– Maman ne l'a pas encore vu.

– Et papa, il sait ?

La même réaction qu'elle. Il faut prévenir papa.

– Tout de suite, dit Clovis.

Mais Paul de Bruyn est sur répondeur. Line hésite
à lui laisser un message. Finalement, elle opte pour
un laconique « Rappelle-moi ! ».

C'est Clovis qui ira emprunter quelques euros à
madame Alvez. Il sera plus expéditif que Line, elle ne

se sent pas de taille à affronter le torrent de paroles de compassion et de réconfort de la gardienne.

Mais appeler Morgane, appeler Kira, oui, entendre leur voix, ça, c'est essentiel. Morgane d'abord, lui annoncer en premier.

– Morgane…

La gorge qui se noue, triple nœud, ne laisse même plus passer l'air, bloque les mots, et les larmes qui montent d'un coup, le barrage qui cède. Elle n'aurait jamais pensé que ce serait aussi dur. Respirer, réessayer, énoncer.

– Milo…

Là-bas, loin, très loin, la voix de Morgane est comme décolorée. Elle pleure aussi. Pourquoi pleure-t-elle ? Elle dit :

– Je sais…

Jaune poisseux

Impossible de lui parler. Line s'est tout de suite bloquée.

– Tu sais ? Tu sais pour Milo ? répète-t-elle. Mais comment ? Comment ?

Morgane bafouille :

– C'est… c'est ta mère. Elle m'a prévenue.

Et Line qui martèle :

– Je ne comprends pas, pourquoi t'a-t-elle prévenue, pourquoi toi ?

Pourquoi elle ? Comment lui dire ? Morgane tente de le faire, voix de verre brisé, parle des messages laissés sur le téléphone de Milo, alors forcément sa mère l'a rappelée.

– Quels messages ? Tu as son numéro… Depuis quand tu as son numéro ?

Line est enragée.

Morgane respire un grand coup, elle ne peut plus y couper, plus reculer.

– Milo et moi…

Et là, silence au bout du fil. Silence glacial. Puis la voix de Line, dure, coupante :

– Tu veux dire que tu sors avec mon frère et que tu ne m'as rien dit ?

Dehors, le ciel est jaune et poisseux.

Elle voudrait dire, Morgane, que ce n'est pas elle, que c'est Milo qui ne voulait pas qu'elle sache, mais elle ne le dit pas, elle ne peut pas, non, elle ne peut pas rapporter les paroles de Milo : «Vous êtes trop proches, j'aurais l'impression de sortir avec ma sœur.»

Line ne lâche pas :

– Depuis combien de temps ? Dis-moi depuis combien de temps vous êtes ensemble.

Morgane essaye d'éluder :

– C'est compliqué, je t'expliquerai.

Et l'autre qui explose :

– Qu'est-ce qui est si compliqué ? Je suis ton amie et tu oublies juste de me dire que tu sors avec mon frère ! Tu trouves ça normal ? Tu trouves ça normal ?

La colère la fait bégayer. Elle répète :

– Depuis combien de temps ?

– Deux mois, murmure Morgane.

– Tu me mens depuis deux mois ? Mais comment oses-tu ? Moi, je t'ai toujours tout dit.

Morgane proteste :

– Je ne t'ai pas menti, jamais je n'aurais osé, je ne t'ai juste rien dit, c'est tout. Je…

Line la coupe :

– Ça revient au même.

Arrêter ça tout de suite, ce n'est pas possible.

– Line, pas maintenant… on ne va pas se disputer maintenant. Milo…

Nouveau silence au bout du fil.

– Line ?

Plus rien, elle a raccroché. Line a raccroché, et par la fenêtre le ciel a pris la couleur gris-mauve des villes le soir.

Des bras autour de la taille de Morgane, une tête contre la sienne, Claire prend sa fille dans ses bras. Depuis combien de temps est-elle là, derrière elle ? Morgane ne l'a pas entendue entrer, peu importe qu'elle ait entendu sa conversation avec Line, elle est au courant de tout.

– Ma toute petite, ma chérie ! Pense qu'il est vivant, c'est le plus important. Il va s'en sortir, tu vas voir.

Morgane fond en larmes.

– Je veux aller à Auxerre, je veux être près de lui. Il a besoin de moi.

Et Claire qui la berce.

– Il est trop tard, ma chérie. Pour l'instant, les médecins s'occupent de lui. On verra demain.

Sur la table, un garçon, cheveux longs, la bouche gonflée, l'air doux et triste, regarde au loin. Un dessin de Gauguin, un dessin au crayon : le portrait craché de Milo.

Acier vermillon

Kira observe la lettre que lui tend sa mère, mais ne fait pas un geste pour la prendre. Elle la tient à distance, comme un objet malfaisant.

Pas envie de la lire, juste de la foutre à la poubelle. Ce mec, elle ne veut pas en entendre parler. Ce mec ! Elle fait exprès de l'appeler comme ça. Mais Arizou insiste :

– Tu dois lire, c'est ton père.

La feuille est couverte d'une petite écriture fine, tremblée par endroits. Une écriture de vieux ! pense Kira. Elle saisit la lettre du bout des doigts, comme si elle craignait de se salir, la retourne, il a signé de son prénom, Antoine. Elle commence à lire. Et plus elle lit, plus la colère l'envahit, une colère froide et chargée de mépris pour cet homme qui, après les avoir ignorées, bafouées, sa mère et elle, pendant toutes ces années, rampe à ses pieds, se frotte à ses genoux. Dégueulasse ! Il veut la voir, il veut voir sa fille, la connaître enfin. Tiens donc, ça lui vient, comme une envie de pisser. Il écrit : «Le temps ne se rattrape pas…» Ça, c'est sûr !… «mais rien n'est clos, rien n'est accompli tant qu'on est vivant.» Il doit être malade… Eh bien oui, pile dans le mille, il est malade en effet. Il a subi une grosse opération, il s'en remet avec difficulté, il a failli y passer. Le spectre de la mort, il n'y a pas mieux comme déclic ! Tout change quand on se retrouve tout seul et tout nu au bout du chemin. Soudain, comme par magie, il s'est souvenu qu'il avait une fille et qu'il ne l'avait jamais vue de sa vie. C'est pas magnifique, ça ? En fait, il est mort de trouille, oui, il a une peur bleue d'aller en enfer pour les avoir laissées tomber. Ha ! Ha ! Quel châtiment ! Il a senti le vent du boulet et maintenant il veut se racheter, rattraper le temps perdu, l'amour, il n'y a que ça, l'amour, il en dégouline. Il en est répugnant.

Kira plie la lettre en deux, en quatre, en huit, elle rêve d'en faire des confettis. Prends ton temps, respire, Kira, respire !

Une fleur rouge sang grandit dans sa poitrine, une fleur monstre, en acier vermillon, qui crisse et se déchire, tchiiiiiiiiiic… Cette violence, elle ne la tient pas de sa mère, ah, ça, non ! Arizou est douce et résignée. Cette violence-là, c'est sa marque à lui, son héritage indélébile.

Elle pose la lettre sur la table basse au milieu des napperons malgaches. Sa mère a saturé le cube dans lequel elles vivent d'artisanat ethnique, du brodé, du torsadé, du tissé, du marqueté, et de la corne de zébu par-dessus le marché. Et quand Kira lui dit qu'il serait peut-être temps de bazarder toutes ces cochonneries qui prennent la poussière, elle lui répond : « Il ne faut pas oublier le pays, ma chérie. »

Maman, mais tu es où ? Tu vis dans quel monde ?

Arizou n'a pas quitté sa fille des yeux tandis qu'elle parcourait la lettre, à l'affût, guettant sur son visage les signes, même les plus imperceptibles – haussement de sourcils, frémissement de bouche –, qui traduiraient quelque chose de ses sentiments. Mais elle, Kira, elle est restée parfaitement impassible, elle y est arrivée, sa colère tapie à l'intérieur comme la lave en fusion dans le ventre des volcans.

– Alors ? demande Arizou.

Alors ? Éviter le regard implorant de sa mère qui a tellement envie qu'elle dise oui – oui, cher papa, je veux bien te rencontrer. Arizou si bonne qu'elle a déjà pardonné. Mais qu'est-ce qu'elle croit ? Ce n'est pas si simple.

Alors ?

Il y a des hasards heureux : son portable qui se met

à sonner, ça tombe à pic. C'est Line. Mais ce qu'elle lui dit n'a rien d'heureux. Milo a eu un accident. Milo, le *soft bad boy* gentiment protecteur avec les amies de sa sœur, est à l'hôpital. Milo, le drôle de garçon fanfaron et pudique, provocateur et romantique, toujours en retrait, est dans le coma.

Line sanglote au bout du fil. Ce n'est pas tout, elle a autre chose à dire, autre chose qui la bouleverse presque autant : elle vient de découvrir que Morgane et Milo sont ensemble depuis deux mois.

– Deux mois, tu te rends compte, Kira, et elle ne nous a rien dit ! Pas un mot.

Kira n'en revient pas. Morgane et Milo ! L'idée ne l'avait pas effleurée. Mais maintenant que Line lui en parle, cela lui semble évident, tout s'explique : la soudaine distance de Morgane, ses airs mystérieux. La nouvelle n'était certainement pas facile à annoncer à Line qui, bien qu'elle s'en défende, entretient une relation quasi passionnelle avec son frère. Son frère si beau, si doué, son frère grande gueule qui part en virée avec ses copains et vole dans les airs, son frère, ce héros.

Line est très remontée au téléphone, elle en est presque sentencieuse. Elle parle de mensonge et de trahison, elle dit que plus rien ne sera comme avant, que c'en est fini de leur amitié. Sa violence déstabilise Kira. Elle exagère : elle se comporte en propriétaire, comme si son frère lui appartenait. Et surtout elle déplace le problème. Mais Kira sait aussi que la colère est un antidote au désespoir. Tant que Line en voudra à Morgane, elle ne pensera pas à Milo sur son lit d'hôpital.

– Line, Line, souffle Kira, Milo a besoin de toutes nos forces pour s'en sortir, il faut qu'on fasse bloc ensemble, toutes les trois, autour de lui, pour lui. On ne va pas se déchirer. Pas nous. On vaut mieux que ça.

Kira parle avec douceur et fermeté, elle trouve les mots qui apaisent – cimenter les pierres disjointes, elle sait faire.

– Il va s'en sortir, Line.

Petit à petit, Line se calme. Elle cesse de pleurer. Kira répète :

– Il va s'en sortir.

Comme un mantra.

Kira est épuisée lorsqu'elle raccroche. Réconforter Line lui a pompé toute son énergie. Elle se sent aussi usée que la vieille housse rouge passé qui cache la défonce du canapé du salon.

– Il est arrivé quelque chose ? demande sa mère.

– C'est le frère de Line. Il a eu un accident.

Arizou escamote un signe de croix. C'est plus fort qu'elle, elle ne peut pas s'en empêcher, même si elle sait que ça énerve Kira. Alors elle le fait à toute vitesse, presque en cachette.

– Que Dieu lui vienne en aide !

– Tu veux dire : que les médecins le tirent de là !

– Oui, tu as raison, il n'y a pas meilleure que la médecine française.

Et Kira sait qu'elle pense à sa propre mère morte brutalement quand elle avait dix ans. Sa mère partie sur ses deux jambes à l'hôpital, revenue dans un cercueil. Problème d'anesthésie. À Madagascar, on peut mourir comme une mouche.

Arizou hoche la tête en direction de la lettre.

– Tu as lu : il veut te voir.

– Il se passait pourtant très bien de moi quand il était en bonne santé, riche et entouré de sa famille.

– Tu es sa fille.

– C'est toi qui le dis.

Qu'est-ce qui lui a pris ? L'insinuation est moche et gratuite, en tout cas indigne d'elle et de sa mère, elle n'avait pourtant pas envie de lui faire de la peine. Mais ce mec (décidément, elle ne peut pas l'appeler autrement) la met hors d'elle. Et qu'Arizou se comporte en éternelle victime, franchement, ça suf-fit. Il lui a fusillé la vie. Elle n'était qu'une gamine quand elle a croisé son chemin à Madagascar : elle avait quinze ans, peut-être même pas. Elle n'avait jamais connu d'homme auparavant et toc, enceinte ! Toute sa famille malgache – son père, sa belle-mère, ses oncles, ses tantes – lui a tourné le dos. Avoir un enfant hors mariage, ça ne passait pas. Heureusement que la tante Zouki était moins bornée que les autres. C'est elle qui les a recueillies, elle qui s'est décarcas-sée pour réunir l'argent du voyage en France. Elle était naïve, Arizou, elle croyait qu'il allait l'épouser. Mais lui, bien sûr, il avait déjà tout à la maison : une femme, des enfants. Il l'a revue en catimini, lui a filé un peu de fric pour solde de tout compte, et ouste ! qu'elle disparaisse avec l'enfant. C'est la commu-nauté malgache en France qui l'a aidée à trouver un logement et un travail ici.

– Pardon, maman, je dis n'importe quoi.

Sous l'arbre bleu

– **I**l t'a fait trop de mal, dit Kira.

– Le passé, c'est le passé, c'est demain qui compte. Moi, je dis mieux vaut tard que jamais.

Arizou adore les proverbes, les expressions toutes faites et les idées reçues qui lui permettent de pallier un français très approximatif. Parfois, Kira se demande si elle ne fait pas des progrès à l'envers.

– Je vais réfléchir. Ça ne t'ennuie pas, maman, que je fasse une petite recherche sur internet pour notre dossier avant de dîner ?

– Mais non, bien sûr. Le travail avant tout.

Kira allume l'ordinateur. Il n'est pas de la première jeunesse, il mouline, il ventile, il se met en apnée, mais il marche et c'est tout ce qu'on lui demande. Elle tape «Enfants Paul Gauguin» dans la barre de recherche.

C'est bien ce qu'elle pensait ! À côté de ses cinq enfants légitimes, Émile, Aline, Clovis, Jean-René et Paul, Gauguin a eu un fils avec une jeune vahiné de treize ans et une fille avec une autre de quatorze ans.

Sa fille s'appelle Tahiatikaomata, le genre de prénom interminable qu'on donne aussi à Madagascar et auquel elle a miraculeusement échappé. Quant au garçon, Gauguin n'est pas allé chercher son nom bien loin : il l'a tout simplement appelé Émile comme son fils aîné. Est-ce que dans son esprit un enfant chassait l'autre ? Est-ce qu'il signifiait par là que cette nouvelle famille se substituait à l'ancienne ?

Kira tape « Arearea ». Elle aimerait revoir ce tableau que Line leur a montré chez Morgane, le tableau au chien rouge.

La peinture se déroule sur l'écran par plans successifs de verts, de rouges, de jaunes. Il n'y a pas de ciel, pas d'horizon. On plonge direct dans la couleur.

Kira a la même impression que tout à l'heure, l'impression que la fille en blanc, assise en tailleur sous l'arbre bleu, la regarde, elle. Mais… comment dire ? Sans curiosité, comme si elle la défiait, comme si c'était elle, Kira, l'intruse, elle qui, par son regard, troublait la sérénité de la vahiné. L'air de dire : « Pourquoi tu me juges, toi ? Pourquoi tu juges Gauguin ? On ne t'a rien demandé, on ne demande rien à personne. »

Elle est d'une beauté calme et farouche, cette fille. On dirait une déesse de terre cuite. Et le chien est étonnant avec sa croupe osseuse, ses flancs creux, son regard terne. Un chien venu d'ailleurs, pas un de ceux qu'on a l'habitude de voir dans la rue. Celui-ci semble tout droit sorti d'une légende ancienne. Il vient de loin, ça se voit, il ne fait que passer. Comme Gauguin en somme, peintre errant, malade et affamé. Un autoportrait en chien libre, sans maître ni collier.

Il est superbe, ce tableau, et Kira doit reconnaître qu'elle est troublée par la plénitude et le mystère qui s'en dégagent. Non, décidément, il ne colle pas avec l'image qu'elle se fait d'un Gauguin voyeur, pervers ou prédateur. Il n'est que sérénité et équilibre.

Ceux qui me font des reproches ne savent pas tout ce qu'il y a dans une nature d'artiste et pourquoi vouloir nous imposer des devoirs semblables aux leurs. Nous ne leur imposons pas les nôtres.

Les deux phrases, extraites d'une lettre de Gauguin à sa femme, sont reproduites sous le tableau. Kira les relit plusieurs fois. Elle a l'impression que ces lignes lui sont directement adressées.

Est-ce qu'on est vraiment à part lorsqu'on est artiste ? Est-ce que l'art justifie tout ?

Elle éteint l'ordinateur et va rejoindre sa mère à la cuisine.

Verdâtre

Clovis mord à pleines dents dans le croque-monsieur qu'il vient tout juste de rapporter de la boulangerie du coin, il l'engloutit sans même prendre le temps de le réchauffer. Il est complètement avachi sur la table, la tignasse comme une flamme rousse sur la surface vert laquée.

– Qu'est-ce que tu as à me regarder ?

– Rien.

– Parce que si tu veux ma photo, t'as qu'à le dire.

Il joue au gros dur, mais c'est un tout petit garçon qui lève les yeux vers Line, le visage rond sous une masse bouclée de cheveux, les yeux vert délavé, presque transparents, trop pâles, trop tristes... Line jurerait qu'il a pleuré, lui aussi. Il a perdu ses belles couleurs de sportif, Clovis, il est plutôt verdâtre à vrai dire, comme si la cuisine avait déteint sur lui.

– Tu crois qu'il va s'en tirer ?

Elle aimerait pouvoir répondre «Bien sûr». Elle aimerait pouvoir l'épargner, le rassurer, son petit frère, mais tout ce qu'elle trouve à dire, c'est : «Je ne sais pas.»

Alors Clovis se lève, jette le papier gras de la boulangerie à la poubelle et s'éclipse dans sa chambre.

Line mastique une bouchée de croque-monsieur, bois, carton, papier, pelure, elle n'arrive pas à avaler, ça ne passe pas. Elle a raison, Kira, elle a été dégueulasse avec Morgane. De quel droit prétend-elle contrôler la vie amoureuse de Milo ? Et celle de Morgane ? Elle lui a raccroché au nez, elle a fait ça ! Mais qu'est-ce qui lui a pris ? Une dingue, une extrémiste, une ayatollah, voilà ce qu'elle est. Finalement, ils ont eu bien raison de la tenir à l'écart. Elle est capable de tout. Elle textote : «Pardonne-moi, Morgane, je n'aurais pas dû te»… elle efface, faire plus court : elle tape «Pardon», et expédie le message.

La sonnerie de son téléphone retentit quelques secondes plus tard. Est-il possible que ce soit Morgane ? Elle a un pincement au cœur en voyant «maman» s'afficher sur l'écran. Comme convenu, Péné vient lui donner des nouvelles de Milo. Elle a enfin pu le voir en réanimation. Il est toujours dans le coma, blessé à la tête et à la jambe droite. Une fracture ouverte, on l'a opéré. La colonne vertébrale n'est pas touchée. Elle n'a pas encore vu le médecin.

Péné demande à Line de lui passer Clovis, elle aimerait lui dire un mot, mais lorsque Line pénètre dans la chambre de son petit frère, il dort déjà, son vieux lapin pelé serré contre lui, Marquise ronronnant à ses pieds.

Vingt et une heures, et son père qui n'a toujours pas donné signe de vie ! Il a dû éteindre son portable. Il faut bien pourtant qu'il soit prévenu.

Line se déshabille, pantalon en boule, T-shirt par-dessus la tête, le miroir de sa chambre lui renvoie l'image d'une fille au ventre blanc ourlé d'un triangle de mousse rousse, aux seins petits, vraiment petits.

Se mettre au lit, lire un peu en attendant que son père l'appelle. Ou du moins essayer, parce que tout la ramène à Milo, à ce qu'elle imagine de cet hôpital perdu dans la nuit lointaine d'une ville qu'elle ne connaît pas, les lits métalliques, les voyants lumineux qui clignotent, les blouses blanches du personnel soignant, la lumière crue des couloirs. Elle frissonne en se glissant sous la couette avec Gauguin.

Tu n'en peux plus, Paul, tu es au bout du bout, c'est toi qui le dis, ce sont tes mots. Ah, si seulement tu étais fou comme ton ami Hermann, au moins on s'occuperait de toi ! Mais tu ne l'es pas, du moins pas encore, et tu ne peux compter que sur toi-même.

Impossible de rester plus longtemps à Paris, il faut que tu partes. Tu as pris ta décision, Paul, tu vas t'installer en Bretagne, à Pont-Aven, où la vie est moins chère.

Ta femme a emporté avec elle au Danemark tous les tableaux que tu as collectionnés avec passion du temps de ta splendeur. La cote des peintres impressionnistes a beaucoup grimpé. Tu demandes à Mette de vendre une toile pour pouvoir payer la pension de Clovis que tu ne peux pas emmener avec toi.

Tu t'installes à la pension Gloanec.

Pour soixante-cinq francs par mois, on y vit comme un roi, logé et solidement nourri. Les Gloanec aiment les peintres et la peinture. Un tableau trône au-dessus de la porte d'entrée et Marie-Jeanne, la patronne, pose volontiers en coiffe bretonne.

Tu n'es pas le seul artiste à avoir élu domicile dans cette petite bourgade bretonne, Paul, vous êtes nombreux à avoir rallié l'Ouest pour retrouver l'authenticité d'un terroir, les valeurs ancestrales d'un pays de légendes et tenter de traquer le sauvage, le primitif tapi en vous. Il y a là beaucoup d'Américains et, l'été venant, toute une colonie de peintres qui déambulent joyeusement dans *les rues en tenue de pêcheur breton et se retrouvent le soir pour discuter, boire et ripailler.*

Mais toi, Paul, tu es à part. Quand ils parlent de toi, les autres disent que tu es le plus fort. Ils t'admirent et te craignent. Tout les intrigue en toi : ta nature taciturne, tes toiles aux compositions audacieuses et les pots étranges – vraiment, ils ne ressemblent à rien de connu par ici – que tu fais surgir d'une poignée de terre glaise. Bien que tu sois nouveau venu dans la profession, tu fais déjà figure de chef.

Mais tes rêves te portent ailleurs. Pont-Aven n'est pas la terre vierge que tu avais espérée, Paul. Sorti des coiffes, des calvaires et des pardons, l'exotisme y est somme toute assez relatif.

À la fin de l'été, tu retournes à Paris. Mais comment fait-on sans argent à Paris ? Ta peinture a beau progresser, elle ne te nourrit toujours pas. Tu restes parfois trois jours sans manger. De quoi y perdre ta santé, et surtout cette force vitale qui est le moteur de ta création.

Le paradis est ailleurs.

On t'a parlé d'un lieu idyllique au large de Panamá, une petite île presque inhabitée, libre et fertile. À Taboga – c'est le nom de l'île –, tu pourras travailler en paix et te nourrir pour trois fois rien. À Taboga, tu pourras enfin vivre en sauvage, loin des hommes.

Le 10 avril 1887, tu embarques pour Panamá.

Mais en fait de paradis, c'est l'enfer qui est au rendez-vous. Arrivé sans un sou, tu n'as d'autre ressource que de vendre tes services à la société de percement du canal. Comme ouvrier.

Piocher, creuser, remuer la terre du lever au coucher du soleil, avec la pluie qui transforme le chantier en bourbier et les moustiques qui te sucent le sang la nuit, voilà ta vie sous les tropiques… le bagne !

Heureusement, l'expérience est de courte durée. Un beau jour, on te débauche sans préavis et tu peux enfin embarquer pour la Martinique. Là-bas, tu trouves à te loger en pleine nature, dans une case plantée au milieu des cocotiers, des manguiers, des tamariniers, avec la mer qui se profile au loin.

Nul besoin de t'habiller, c'est à moitié nu que tu peins les coulées de soleil qui déferlent sur ce paysage de rêve au petit matin, les sous-bois sombres et frais où tu te réfugies aux heures les plus chaudes de la journée, les silhouettes d'ébène des indigènes…

As-tu enfin trouvé ton jardin d'Éden ? C'est sans compter la maladie. Une nuit, tu te réveilles en proie à une violente fièvre et le ventre broyé par la douleur. Le lendemain, tu es incapable de te lever et la situation empire de jour en jour. Bientôt, tu n'es plus qu'un squelette, si faible que tu peux à peine parler.

La maladie contractée à Panamá résiste aux traitements locaux. Le médecin que tu as consulté à plusieurs reprises ne peut rien pour toi, il t'enjoint de retourner en France au plus vite pour te faire soigner.

Faute d'argent, il te faudra pourtant attendre de longs mois avant d'être rapatrié.

Tu es exsangue quand tu arrives à Pont-Aven, mais tu rapportes une cargaison de toiles flamboyantes qui éblouit amateurs et amis. On te soigne, on te nourrit, on te remet sur pied... et déjà tu ne songes plus qu'à repartir. Tu as approché le sacré aux antipodes, Paul, tu as connu des beautés et des délices qui t'étaient jusqu'alors inconnu, et tu n'envisages plus de vivre sans.

Line frissonne. Quelle vie de misère ! Elle a les yeux qui se ferment malgré elle. Et son père qui ne l'a toujours pas rappelée ! Elle lui en veut de ne pas être à la maison ce soir, avec Clovis et elle. Oui, à cet instant précis, elle lui en veut terriblement d'être parti.

Gauguin pouvait peut-être se permettre de tout envoyer balader, il avait du génie, lui. Mais Paul de Bruyn, qui est-il pour abandonner sa famille, et de quel droit ? Est-ce que ça vaut le coup, ce gâchis ?

Pour faire quoi ? Quelques peintures qui ne se vendent pas. Qu'il n'expose même pas. Une exposition, il y a cinq ans, au fin fond de la France, on ne peut pas dire que ce soit la gloire.

Elle textote : «Milo a eu un accident. Il est à l'hôpital d'Auxerre. Maman est avec lui. Bonne nuit. Line.»

Dans le blanc de la nuit

Tant que dure la nuit…

Un corps gît dans la pénombre de la salle de réanimation. Milo est allongé sur le dos, un drap blanc sagement bordé sur la poitrine. Autour de lui, les machines vibrent en sourdine, des diodes bleues, rouges, blanches luisent par intermittences, et sur l'écran bleuté du moniteur la ligne hérissée d'un graphique se dessine en temps réel : le cœur de Milo, son cœur qui bat. Bruit mat, bruit blanc, berceuse électroacoustique que Milo n'entend pas. Il est le jeune homme éternel, le dormeur du val, assoupi, apaisé, au-delà du fragile miroir de la conscience, juste de l'autre côté – dans quelles limbes ?

Non loin de là, dans sa chambre simple de l'hôtel Les Clairions, carrefour de l'Europe sur la RN6, le plus proche du centre hospitalier, Péné de Bruyn dort. Le Stilnox qu'elle a pris à 23 heures lui garantit quatre heures de sommeil, ça marche à tous les

coups. Et elle se fiche bien de savoir si elle ronfle
– et elle ronfle –, elle est enfin loin, dans la chambre
noire de son corps inerte, indolore, à l'abri de tout,
même des rêves.

Morgane court au bord de la mer, elle court, mais
elle ne sait pas vers où ni vers quoi, elle va rejoindre
quelqu'un, c'est important, c'est vital, mais elle n'avance
pas, elle est à contre-vent, et il est méchamment fort,
ce vent, même les mouettes font du surplace. Et pourtant, c'est urgent, on l'attend. Ses mollets lui font mal
à force d'être contractés, ses yeux la brûlent, le vent
lui coupe le souffle, plaque son T-shirt sur son ventre,
sur sa poitrine, elle ne fait pas le poids. Claire, qui est
insomniaque et qui s'est glissée dans la chambre de sa
fille, la voit froncer les sourcils et gémir avant de se
retourner contre le mur. Elle lui caresse les cheveux,
ses beaux cheveux blonds dispersés sur l'oreiller, elle
les caresse à peine pour ne pas la réveiller, comme elle
le faisait quand elle était petite. Mais Morgane n'est
plus une petite fille, Claire sait bien qu'elle ne peut
plus la protéger, plus faire écran aux souffrances des
grands. Et cette impuissance lui vrille le cœur.

Un train passe dans la nuit. Il longe la cité et

traverse les songes de Kira et d'Arizou qui ne l'entendent pas, il y a un moment que les trains font partie de leur paysage sonore. Kira n'a jamais dit à Line et à Morgane qu'elle dormait dans le même lit que sa mère. Elles ont toujours dormi ensemble, il n'y a qu'un seul lit. Arizou a fait une brève tentative de séparation des corps quand Kira avait huit ans – matelas déployé sur le sol, couette IKEA enluminée de tigres, de panthères et de zèbres, taie d'oreiller assortie –, mais au petit matin le corps tiède de sa fille se retrouvait collé au sien sans qu'elle l'ait entendue quitter sa couche, sans même peut-être que Kira s'en soit rendu compte, comme si elles étaient aimantées l'une à l'autre. Qu'est-ce que ça peut faire ? À Madagascar, les parents dorment avec leurs enfants et on n'en fait pas toute une histoire. Maintenant qu'elles se sont éloignées l'une de l'autre, par la force de l'âge, du travail, de la vie, la nuit leur offre une trêve commune, un repli dans un nid de plume et de coton frais, cocon connu et rassurant.

Paul roule. Il roule à toute vitesse. Il se fiche des limitations. Quand, à minuit passé, il a trouvé le SMS de Line, il a griffonné un message à l'intention d'Antoine, qui l'héberge, et il a sauté dans sa voiture.

Qu'est-ce qui s'est passé ? Cet accident, comment est-il arrivé ? Est-ce que Milo s'est blessé en sautant ? Est-ce qu'il s'est écrasé ?… Il repousse l'image de son enfant écrabouillé sur le sol. Non, ce n'est pas possible, pas lui. « Si j'avais été là, est-ce qu'il aurait sauté ? » La même question revient en boucle, avec insistance, et la culpabilité, en enflant, lui crispe les mains sur le volant.

Il a été comme Milo au même âge, tenté par l'extrême. Il a été sauvé par la peinture, par Péné. Oui, par Péné, qu'il a aimée passionnément, qu'il aime encore mais plus de la même façon, d'un attachement viscéral et douloureux. Elle reste sa femme, mais la flamme n'éclaire plus, ne réchauffe plus. À qui la faute ? Au temps qui passe, à l'érosion, aux regards à double tranchant, à la dérive des paroles et des corps. Il étouffait, il mourait à petit feu dans cette vie rabougrie. On attendait de lui ce qu'il ne pouvait pas donner. Il s'est fourvoyé, il n'est pas, il ne sera jamais le père de famille solide, responsable, sur lequel une femme et des enfants se seraient appuyés. Il est un mauvais père, sans doute aussi un mauvais mari.

Il est 5 h 30 quand il introduit sa clé dans la serrure de l'appartement, enlève ses chaussures pour ne surtout pas les réveiller, se dirige sur la pointe des pieds vers la chambre de Clovis. La veilleuse champignon noie le fouillis ambiant dans une lumière orange lénifiante. Marquise s'étire voluptueusement en le voyant, émet un léger miaulement et saute du lit pour venir se frotter contre ses mollets. En voilà au moins une qui est contente de le voir ! De Clovis, Paul ne distingue que le dos, la nuque fragile et pâle, le doudou pelé. Il s'approche, effleure la tignasse de son fils, respire son odeur tiède de petit garçon bien vivant – parfum de biscuit écrasé, réminiscence de partie de foot effrénée. Le souffle de Clovis est régulier et Paul lui envie son paisible sommeil d'enfant.

Paul pousse la porte de la chambre de Line et observe le visage de sa fille, la courbe parfaite des sourcils, le nez petit et droit constellé de mignonnes taches de rousseur, les lèvres colorées, charnues, légèrement entrouvertes. Un beau visage sérieux comme si elle s'appliquait à dormir. Sa fille. Un livre est posé à l'envers sur la moquette, V renversé à cheval sur ses pages. Il s'approche pour lire le titre : *Le Roman de Paul G.* Qu'est-ce qui lui prend de lire ce bouquin ? Il ne le connaît pas, celui-là. Pourtant, il en a lu, des livres sur Gauguin ! À l'époque, sa vie le fascinait et le terrifiait à la fois. Une vie trash, sur le fil du rasoir !

Ah, ça, il l'avait payée au prix fort, sa liberté de créer, Gauguin. Mort au bout du monde, à pas cinquante-cinq ans, rongé jusqu'à l'os par la syphilis, comme un moins-que-rien, un paria, un vieil hurluberlu replié dans une case en bambou pompeusement baptisée «Maison du Jouir» ! De la provocation, oui ! Est-ce qu'il en avait joui tant que ça, de sa liberté ? Et de ses jeunes conquêtes ? Elles devaient tout de même être sacrément dégoûtées par les plaies de ses jambes et effrayées par ses sautes d'humeur, ses accès de colère ou son mutisme soudains. Il avait eu une vie de chien, oui, ça, on pouvait le dire. Mais aurait-il pu vivre autrement ? Paul est bien placé pour savoir combien il est difficile de se soustraire au démon de la peinture lorsque cette force-là s'empare de vous. Après tout, on est sur cette terre pour donner le meilleur de soi-même, pour libérer ce qui se loge au plus profond de ses tripes. Ne pas le faire, c'est tout simplement risquer de passer à côté de soi-même.

Fil bleu

La sonnerie du réveil comme un électrochoc, un triangle de lumière pâle sur la moquette, le moteur du cerveau qui patine pour rassembler les bribes d'informations dispersées par la nuit, Line reconstitue progressivement le fil : Milo à l'hôpital, Milo dans quel état ? Maman là-bas, la brouille avec Morgane, papa pas joignable… Est-ce qu'il faut vraiment la vivre, cette journée ?

Il est 7 heures, elle a cours à 8 heures Elle s'extirpe de sous sa couette, se sent comme un lapin qu'on dépiaute, file à la salle de bains, pipi. Et papa qui ne lui a pas laissé de message ! Retour dans la chambre. Elle appelle, tombe sur sa messagerie, raccroche sans avoir dit un mot, ce n'est même pas la peine, ouvre la porte de la chambre de Clovis :

– Allez, debout là-dedans, il est l'heure de se lever.

Clovis grogne, enfouit sa tête sous l'oreiller.

Direction la cuisine, Line crève de faim. Et là, qu'est-ce qu'elle voit ? Une tête entre deux bras, sur la table verte, une tasse à café vide à côté du Gauguin de la boîte à sucre avec son chien rouge pétrifié et sa vahiné sans visage.

– Papa !

Le front de Paul de Bruyn se plisse, se creuse de sillons profonds, il soulève une paupière comme s'il actionnait un store affreusement lourd.

– Bonjour.

Il se lève, il titube, il a une haleine de chacal.

– Tu es là depuis quand ?

Il regarde l'horloge de la cuisine.

– Même pas deux heures. J'ai roulé toute la nuit.

Et voilà Clovis qui déboule, pieds nus, fripé de la tête aux pieds. Clovis interloqué qui, au lieu d'aller embrasser son père, baisse les yeux et lance «B'jour !» avant de se diriger vers le placard pour sortir ses céréales, petit robot matinal.

Paul lui colle deux gros baisers sur les joues, «Dis donc, tu as grandi, toi !», et ne sait plus trop quoi dire face à ce gamin qui évite son regard en se tortillant, lui-même se sentant aussi mal à l'aise que son fils dans ce tête-à-tête bancal. C'est plus facile avec Line, ça a toujours été plus facile entre eux deux. Peut-être parce qu'elle est une fille.

Line lui donne les dernières nouvelles : l'accident,

le coma, la réa à l'hôpital d'Auxerre. Elle en sait si peu. Il dit :

– Je reprends un café et on y va. On y va tous ensemble, hein ? Je vous emmène.

– J' peux pas, j'ai classe, grommelle Clovis.

Et Line aussitôt, pour rétablir l'équilibre, gommer la déception :

– Je viens, je viens, papa.

Elle peut sécher les cours pour une fois. Le lundi n'est pas si chargé que ça. Et puis quand bien même ! Elle rattrapera sur Kira ou Morgane.

Le Toyota est en bas. Il pue la clope. Saturée de fumée, la bagnole. Paul a dû fumer comme un dingue en conduisant. Il fait mine d'épousseter les sièges pour virer les cendres mais le tableau de bord est couvert de particules grises. Line se cale dans le siège trop mou, complètement défoncé. Elle a l'impression de l'avoir toujours connu, ce vieux Toyota.

Les rues sont encombrées. Normal pour un lundi matin. Première, point mort, première, seconde, point mort, Paul passe les vitesses en silence. Avant, il faisait conduire Line en cachette de sa mère. Et elle aimait ça, conduire, débrayer pour libérer le manche du changement de vitesses, enclencher la première, la seconde, accélérer. Il demande :

– Tu t'intéresses à Gauguin maintenant ?

Comment le sait-il, elle ne lui en a pas parlé.

– À cause du livre près de ton lit. Je suis allé dans ta chambre ce matin en arrivant. Tu dormais profondément.

Dans sa chambre pendant qu'elle dormait, sans qu'elle le sache, sans qu'elle le sente, sans avoir été prévenue. Il a beau être son père, cette intrusion lui est désagréable : son sommeil n'appartient qu'à elle.

– Je travaille sur Gauguin avec Morgane et Kira pour l'épreuve d'art de la fin de l'année.

– Tu sais qu'il écrivait aussi, et pas mal du tout ? À Tahiti, il tenait, entre autres, un carnet dans lequel il notait ses pensées, quelques anecdotes ou divagations, c'était assez décousu, il le destinait à sa fille : *Cahier pour Aline*, c'est comme ça qu'il l'avait appelé. Elle ne l'a jamais lu, et n'a même jamais su que son père l'avait écrit pour elle : elle est morte avant, sans l'avoir revu, à vingt ans.

– C'est plutôt déprimant ce que tu me racontes. Je me demande bien pourquoi vous m'avez donné ce prénom maman et toi.

Feu vert, première, seconde, à droite, puis à gauche, feu rouge, et la voiture qui cale.

– Merde alors, je crois qu'il n'y a plus d'essence.

Paul essaie de redémarrer, mais rien, rien du tout, le démarreur racle dans le vide. Il dit :

– J'ai un bidon dans le coffre. Je me méfie : en Bretagne, je suis déjà tombé deux fois en panne.

Les voitures klaxonnent autour d'eux. «Dégage ! hurle un type. Tu vois pas que tu bloques le passage !» Paul ne prend même pas la peine de lever la tête, il fait seulement un geste de la main : crie toujours, mon vieux, moi, je m'en fous !

Le gasoil coule dans le réservoir comme un sirop rouge visqueux. Line pense à son père qui boit trop, qui sirote, comme on dit. L'odeur lui tapisse la gorge, lui donne envie de vomir.

Ils font le plein à la première station. Paul de Bruyn remplit son bidon, au cas où. Il a le teint jaune, la peau trop tendue sur les pommettes, les lèvres comme un fil bleu. Ils repartent, la circulation s'est fluidifiée, ça roule mieux.

– Pourquoi tu t'es installé en Bretagne ? Tu veux faire ton Gauguin ?

Son père rigole, ou plutôt il grince.

– Ça doit être ça.

Il conduit les bras tendus, de profil son nez est comme une lame qui lui tranche le visage en deux, il a l'air explosé de fatigue.

– Il faudra que tu viennes me voir. Je suis dans un endroit magnifique, pas loin de la mer et pourtant en pleine campagne. C'est un ami – enfin, une connaissance – qui m'héberge, Antoine. Tu ne le connais pas. Je travaille bien là-bas.

– Et ici, tu ne pouvais pas travailler ?

– Non, je n'y arrivais plus.

– À cause de nous ?

– Non. C'est moi qui suis en cause, personne d'autre.

Silence.

– Je ne pouvais pas faire autrement.

Nouveau silence, comme un bloc de béton entre eux.

– Comment va ta mère ?

– Pas très bien, je crois qu'elle fait une dépression.

Il allume la radio. Radio Classique. Un air de piano remplit la voiture, notes bien détachées qui parfois se cognent les unes aux autres en une ritournelle acide, triste et joyeuse à la fois.

– La première *Gnossienne* de Satie, je l'ai jouée autrefois.

Line ne savait même pas que son père avait fait du piano.

Fluo

Kira est crevée ce matin, moral dans les chaussettes. Elle a cauchemardé toute la nuit, et le pire, c'est qu'elle ne se souvient de rien, sinon qu'il y avait un mec glauque dans son rêve et qu'elle croit bien que c'était son père. Elle n'a pas entendu sa mère sortir du lit. Elle était déjà partie quand le réveil a sonné.

Le lundi matin, ça commence en mode sauvage : piscine de huit à dix. À peine habillé, il faut de nouveau se dépoiler, chair de poule, enfiler le bonnet qui scalpe, passage éclair sous la douche tout juste tiède, odeur de Javel, ajuster les lunettes qui font des yeux de grenouille, debout en tas au bord du bassin avec le prof, un papy bronzé, bodybuildé, pas un croulant mais quand même un peu décati, en mini-maillot rouge pétard, qui claironne : «Aujourd'hui, brasse coulée !»

Au secours, là, tout de suite, c'est moi qui vais couler.

Pas de Morgane et de Line en vue. Sécher la piscine le lundi à 8 heures, c'est tentant, mais risqué. Il faut vraiment un mot d'absence béton, sinon Colonna – le prof papy bodybuildé – déclenche l'artillerie lourde. Avertissement et tout le bastringue. Basta ! Kira inspire un grand coup, bloque ses poumons – apnée – et plonge dans l'eau fluo.

Elle retrouve Morgane à 10 heures en cours d'histoire. Plus pâle que pâle, cireuse, les yeux rouges. Kira n'est pas censée savoir ce qui se trame entre Milo et elle, mais elle n'est pas non plus du genre à tourner autour du pot.

– Tu as des nouvelles de Milo ?

Morgane est visiblement soulagée que Kira l'aborde de façon aussi directe.

– Aucune… Péné devait m'appeler, mais elle ne l'a pas fait.

Elle ajoute :

– Line est furieuse.

– Ça lui passera ! Tu sais comment elle est, elle a été surprise, et sous le coup de l'émotion elle a mal réagi. Je lui ai parlé au téléphone, au début elle lançait des flammes et puis elle s'est calmée.

– Elle m'a demandé pardon.

– Tu vois !

– J'ai peur, Kira.

– On l'appellera après le cours.

La prof arrive, elles prennent place au fond. Morgane murmure :

– Maman a promis de m'emmener à Auxerre dès que possible. Je ne sais pas comment le dire à Line.

– Tu verras, ça se fera naturellement.

– C'était la première fois qu'on se disputait.

– Chut, là-bas, dit la prof.

Au programme de la matinée, il y a la guerre sino-américaine et la catastrophe atomique de Hiroshima et Nagasaki.

Orange néon

Line et son père se pointent à l'accueil de l'hôpital et la fille derrière son bureau, bouche et ongles écarlates, leur dit sans lever le nez, sans même les regarder :

– Revenez un peu plus tard, pas avant treize heures, les visites.

Paul insiste :

– Mon fils a eu un grave accident, j'ai roulé toute la nuit pour le voir. S'il vous plaît, mademoiselle…

La fille contemple l'ongle de son index gauche d'un air embêté, sans doute un pète dans le vernis. Elle lâche :

– Vous pouvez toujours demander là-haut à la cadre sup. Premier étage.

Couloir à bande orange horizontale, néon, sol patinoire, ils foncent dans le bureau de la responsable du service. Ils n'ont pas beaucoup à parlementer, elle est compréhensive, elle veut bien les laisser entrer. Line a le cœur dans l'estomac, presque à en tomber dans les pommes. Elle bloque sa respiration et elle entre dans la salle de réanimation à la suite de son père.

Il fait sombre là-dedans, et chaud. Une atmosphère d'aquarium traversée de bip-bip, de graphiques lumineux, l'impression d'être isolé du monde des vivants derrière des parois étanches. Péné est assise sur une chaise, elle lit un magazine. Elle lève les yeux et décoche un regard meurtrier à son mari, pire qu'un tir de bazooka.

Il faut que Line se fasse violence pour regarder la forme sur le lit, une momie sous un drap blanc : Milo, la tête bandée, un tuyau scotché au coin de la bouche, mais le visage intact, lisse, très beau, et les traits reposés comme s'il dormait.

Et là, soudain, c'est Paul qui se met à tanguer, à croire qu'il va tomber, il a eu une sorte de haut-le-cœur et il sort de la pièce. Péné hausse les épaules.

– Je me demande bien pourquoi il est venu, il n'a jamais supporté les hôpitaux. Il m'a fait le coup à chaque naissance. Il est arrivé quand ?

– Ce matin, tôt. Il était là quand on s'est réveillé.

Péné suit le regard de Line, qui va de Milo aux machines, des machines à Milo.

– Les médecins ont préféré le placer en coma

artificiel en attendant que son hématome crânien se résorbe.

Péné a le visage dur. Elle a retrouvé son énergie et fait à nouveau face, comme avant, comme toujours ou presque. Mais être indulgente avec son mari, ça, c'est encore au-dessus de ses forces. Elle n'a ni pitié ni compassion pour ceux qui flanchent.

Elle se radoucit finalement. Se rend-elle compte qu'elle a très mal accueilli Paul ? S'en veut-elle de sa réaction ?

– Viens, dit-elle à Line, on va voir ce qu'il fabrique.

Paul est dans le couloir. Une infirmière lui apporte un verre d'eau.

– Ça va ? demande Péné.

Paul fait signe que oui. Il est livide.

– Tu n'aurais pas dû faire ce long voyage, pour le moment, on ne peut rien pour lui.

Paul fait un geste las de la main.

– Ça t'ennuie si on va discuter dehors ?

– Non, non, c'est comme tu veux.

Retour au rez-de-chaussée, il y a un Relais H Café dans le hall. Ils commandent un café, Line se contente d'un verre d'eau. Péné dresse un bref bulletin de santé de Milo :

– Il paraît qu'il était très agité quand il est arrivé

à l'hôpital, le scanner a montré qu'il y a un hématome sous-dural. Le coma artificiel, c'est pour éviter que l'hémorragie cérébrale ne s'étende. Il est sous calmants, on lui perfuse un cocktail de médicaments qui le shoote.

– On va lui donner ça pendant combien de temps ?

– Il est trop tôt pour le dire, chaque chose en son temps. Il a aussi fallu s'occuper de sa jambe. On l'a opéré, on lui a posé deux plaques et je ne sais pas combien de vis. Au mieux, il n'aura pas le droit de poser le pied par terre pendant trois mois.

Péné parle d'une voix sèche, il est clair qu'elle se force à fournir ces explications à son mari. Elle n'arrive pas à dissimuler qu'il l'agace avec son visage pâle et défait, même si elle lui demande :

– Et toi autrement, ça va ?

– Oui.

– Tu peins ?

– Oui, ça vient bien.

– Eh bien, tant mieux.

– Je suis désolé, Péné.

Il a l'air très malheureux. Line en a le cœur retourné, elle ne veut pas voir ça : ça pue, leur relation. Elle va faire un tour dehors.

Ciel jaune

Je suis le sans-poids, l'ultraléger, je suis la plume, je suis le vent, le souffle dans le ciel jaune. C'est si simple de voler finalement. Pourquoi en fait-on toute une histoire ? Pourquoi ils ne volent pas tous ? C'est cool là-haut. Au-dessus, au-dessus de tout. Je plane.

– Il a bougé les lèvres.

– Mais non, tu as rêvé.

– Si, je t'assure, je l'ai vu. Il voulait dire quelque chose.

– Tu m'étonnes, je n'ai rien remarqué.

– Mais si, puisque je te le dis.

– Milo, tu m'entends ?

Là-haut, il y a des oiseaux au long bec qui ressemblent à des plantes aquatiques et des chevaux sauvages couleur de pierre de lune. Les mares sont à sec, le sol se craquelle et s'entrouvre, il est rouge. Elles sont à l'intérieur, elles me regardent, maman, Line… MILOOOO,

MILOOOO ! L'écho de leurs voix me parvient à travers des épaisseurs de coton. Pourquoi m'appellent-elles ?

– Milo, c'est moi, Line. Fais un signe si tu m'entends. Tu vas te réveiller, ce sont les médecins qui l'ont dit. Ils ont arrêté les médicaments.

– Laisse-le tranquille.

– Maman, je te jure, il a encore bougé les lèvres. Il cherche à nous dire quelque chose.

– Laisse-lui le temps de revenir. Il n'est pas encore prêt.

– Mesdames, je vais vous demander de sortir quelques minutes dans le couloir pendant que je fais les soins.

C'est quoi, le bruit ? Tous ces bang, ce métal pointu. Ça fout les boules. Arrêtez ! Je n'aime pas cette odeur qui poisse. Fichez-moi la paix, je ne redescends pas, pas question ! Je reste ici au milieu des chevaux et des oiseaux, je continue à voler… De toute façon, je ne sais pas atterrir.

Maison jaune

Line et Péné attendent toutes les deux dans le couloir que l'infirmière ait terminé les soins. Paul est parti faire un tour. Il a refusé de retourner à Paris avec Line comme le lui conseillait sa femme, il a dit : « Pas question, je ne quitte pas Auxerre avant que mon fils se soit réveillé, ce serait un comble : je suis venu pour lui. »

Maintenant que les médecins ont arrêté les calmants, Milo peut refaire surface à tout moment.

Péné est contrariée que sa fille sèche les cours. Un jour, passe encore, mais deux ! Elle exagère, pense Line, elle laisse tout filer pendant des semaines et soudain elle me tient des discours de psychorigide. Je n'y peux rien si elle ne peut plus supporter son mari.

– Tu devrais sortir un peu, dit Péné, t'aérer. Ça peut encore durer des heures, tu sais. Il fait beau, profites-en.

– Je n'ai pas envie de me promener, maman, mais

alors pas envie du tout. Et puis Morgane ne va pas tarder à arriver.

Morgane a insisté pour faire le voyage jusqu'à Auxerre avec sa mère. Line appréhende de la revoir. Elles ne se sont pas reparlées depuis hier soir, depuis que… Line aimerait gommer cet épisode de sa mémoire. Elles ont juste échangé des SMS rapides. Morgane lui a écrit qu'elle comprenait sa réaction, qu'à sa place elle aurait peut-être eu la même. Elle est comme ça, Morgane, elle essaie toujours de tout arranger.

– Tu pourrais travailler un moment en l'attendant, suggère Péné.

– C'est ce que je comptais faire. J'ai apporté mon livre.

Où a-t-elle laissé Gauguin ? Ce n'est pas si simple de le suivre, il est toujours sur la brèche, sur le point de partir. Depuis qu'il n'a plus de véritable chez-lui, la peinture est son seul port d'attache.

Line feuillette les pages. Elle retrouve le fil.

Été 1888. Tu es de retour en Bretagne après ton séjour écourté à la Martinique, cette Bretagne à propos de laquelle tu écris : «Quand mes sabots résonnent sur ce sol de granit, j'entends le son sourd, mat et puissant que je cherche en peinture.»

Tu as retrouvé tes amis artistes et en particulier Émile Bernard, un des rares jeunes peintres dont tu estimes vraiment le travail. Il est là avec sa sœur Madeleine. Elle a dix-sept ans, elle est douce et exaltée. Tu en tombes amoureux en secret. Mais Madeleine ne partage pas tes sentiments, elle en préfère un autre. Tu ne dis rien, tu caches bien ton jeu. Tu es bien trop orgueilleux pour essuyer un refus.

En vérité, tu es affreusement seul. Mette ne veut plus te voir, et même si elle répond à tes lettres, elle t'a banni de sa vie ; quant à tes enfants, ils sont loin. Ils ne t'ont même pas écrit pour ton anniversaire. Ils te manquent, ce serait mentir que de dire le contraire, tu aimerais les voir grandir, mais qu'y peux-tu ? Tu n'es pas en mesure de faire des démarches pour les récupérer, tu n'as pas un sou, et d'ailleurs pour quoi faire puisque tu vas bientôt repartir ? Alors tu serres les dents et tu barricades ton cœur. Tu travailles, tu mets les bouchées doubles. L'art, c'est ton capital, l'honneur de ton nom et l'avenir de tes enfants : si tu n'en retires rien aujourd'hui, du moins en argent, tu espères bien qu'il te vaudra la gloire pour demain. Car tu ne doutes pas de ton talent, tu n'en as jamais douté.

Pour l'heure, en cet automne 1888, tu te demandes si tu vas accepter l'invitation de Vincent Van Gogh.

Un drôle de type, ce Vincent ! Tu l'as connu par l'inter-médiaire de son frère Théo, qui est marchand de tableaux. Il est peintre comme toi et il t'a envoyé des lettres fleuves dans lesquelles il t'expose sa conception de la peinture.

Il insiste pour que tu viennes passer six mois avec lui à Arles, près de Marseille. Pourquoi pas ? D'autant que son marchand de frère a proposé de t'acheter toute ta production de tableaux à venir. Si l'on ajoute à cela le voyage offert, la nourriture et le logement gratuits, ce n'est pas une mauvaise affaire. Vous avez déjà échangé vos autoportraits. Sur celui que tu as envoyé à Vincent, tu t'es fait une tête de bandit se détachant sur le fond jaune d'un papier peint parsemé de petits bouquets. Un très bon portrait, as-tu estimé.

Finalement, tu acceptes l'invitation, tu iras passer un moment à Arles avec Vincent.

Vincent est transporté de joie. Une joie qui te paraît tout à fait disproportionnée, presque enfantine. Il t'ac-cueille à bras ouverts, comme on accueillerait un frère ou peut-être même une fiancée. Dans la maison jaune qu'il a louée au centre d'Arles, il t'a préparé une chambre qu'il a décorée avec amour. Curieux bonhomme, déci-dément ! Affectueux et brouillon comme un gros chien, et surtout tellement nerveux !

Arles ne te déplaît pas, la ville a du charme et tu

trouves que les femmes y ont une beauté singulière, une beauté grecque, dis-tu. Mais tu n'arrives pas à t'acclimater : tout te semble si petit, mesquin, le paysage, les gens, leur esprit. Et puis Vincent et toi n'êtes d'accord sur à peu près rien. Le Zouave, comme tu l'appelles, est romantique. Alors que toi, Paul, tu te sens de plus en plus primitif.

Vous arrivez à travailler ensemble, ce n'est pas le problème, mais Vincent t'agace. Il fait du bruit, il n'arrête pas de parler, il est désordonné. Tous ces tubes pressés, jamais fermés, quel gâchis ! À croire qu'il a la tête fêlée, le Hollandais.

Peu à peu, votre relation tourne au vinaigre. Vous vous disputez de plus en plus souvent, pour un oui ou pour un non. Une nuit, tu sens une présence dans ta chambre, tu ouvres les yeux et tu vois Vincent qui s'approche à pas de loup de ton lit. Qu'a-t-il en tête ? Tu n'en sauras jamais rien : constatant que tu es réveillé, il s'éclipse sans un mot.

Un autre jour, alors que vous vous trouvez tous les deux au café, c'est un verre plein qu'il te lance à la figure. Et pour couronner le tout, ce fou finit par se précipiter sur toi un rasoir à la main. C'en est trop, tu décides que tu ne passeras pas une nuit de plus dans la maison jaune. Tu t'installes à l'hôtel.

Le lendemain matin, le quartier est en ébullition. On raconte que le Hollandais a été pris d'un coup de folie. Qu'il s'est tranché l'oreille, et que cette oreille bien proprement nettoyée, il l'a mise dans une enveloppe pour la porter à Rachel, une prostituée de la ville que vous fréquentez tous les deux.

Les gendarmes ont investi la maison jaune devant laquelle s'est formé un attroupement. On te laisse entrer. Quel spectacle ! Il y a du sang partout, sur le sol, dans l'escalier, dans les chambres, des serviettes souillées et Vincent, là-haut, couché en chien de fusil, dormant à poings fermés.

Tu en as assez vu, Paul. Tu prends tes cliques et tes claques. Qu'on conduise cet illuminé à l'hôpital, toi, tu retournes à Paris.

Line interrompt sa lecture. Morgane vient d'arriver.

Drap blanc

Claire a accompagné sa fille jusque dans le hall de l'hôpital. Puis c'est une infirmière qui l'a guidée et conduite en réanimation. Elle a tenu à venir le plus vite possible, Morgane, mais c'est le cœur en panique qu'elle pénètre dans cette pièce tapie dans le grand bâtiment en béton comme un repli secret. Est-ce qu'elle va le reconnaître ? Et s'il était défiguré ? Elle sait qu'il est là, juste à côté, étendu sur le lit. Il suffirait qu'elle tourne la tête pour le voir, mais elle ne le fait pas. Pas tout de suite.

Elle embrasse Line, elle embrasse Péné, dépose son sac au pied d'une chaise, enlève son blouson, le plie avec un soin presque maniaque... ses gestes sont anormalement lents, elle gagne du temps. Il fait chaud ici, l'air est pesant.

– Tu as fait bon voyage ? demande Line.

– Oui, ça roulait bien.

– Tant mieux, dit Péné, finalement, ce n'est pas si loin.

Morgane se sent dévisagée, elle a changé de statut, elle n'est plus la copine, elle est la petite amie, et ça change tout. Elle est devenue l'intruse, et c'est terriblement désagréable soudain d'être scrutée par elles deux, la mère et la sœur.

Courage, Morgane, il faut y aller, tu es venue pour ça, regarde-le maintenant. Elle s'approche du lit. Faire comme si Line et sa mère n'étaient pas derrière son dos à épier tous ses gestes. Oublier leurs regards. Elle a un truc qui cogne à tout casser dans la poitrine, une sorte de gong fou. Allez, maintenant ! Elle lève les yeux, c'est bien toujours lui, Milo, son Milo, inchangé, le visage intact sous le bandage, les bras, les mains posées sur le drap, Milo un peu pâle peut-être – mais il n'en est que plus beau, on dirait même qu'il sourit dans son sommeil.

– Il va se réveiller, dit Péné. C'est une question d'heures, peut-être de minutes.

Et Line qui ajoute :

– Tu peux lui parler, tu sais. Tout à l'heure, j'ai eu l'impression qu'il voulait nous dire quelque chose.

Comme si elle pouvait lui dire un mot en leur présence...

C'est Péné qui la sauve.

– Viens, Line, on va profiter de la présence de

Morgane pour aller se dégourdir les jambes en bas. De toute façon, on n'a pas le droit d'être plus de deux dans la chambre.

– Oh, moi, ça va, tu sais ! dit Line.

Est-ce qu'elle le fait exprès ? Elle ne comprend donc rien ? Péné insiste :

– Mais si, accompagne-moi, ça te fera du bien.

Morgane ne les voit pas. Est-ce que Péné fait un signe à sa fille, est-ce qu'il y a échange de gestes, de mimiques entre elles deux ? Elle s'en fiche, elle contemple Milo, sa bouche entrouverte, ses paupières légèrement bleutées, son grand front lisse sous le casque blanc immaculé du bandage, elle se noie dans son visage absent.

– Bon, alors à toute, dit Line à contrecœur.

Morgane souffle « oui », mais ne se retourne pas, frottement feutré de la porte qui s'ouvre, se referme, elles sont parties, elle est seule avec lui. Elle s'approche plus près encore, prends la main de Milo, la serre entre les siennes. Elle est tiède et inerte, ses doigts ne répondent pas. « Milo, tu m'entends ? » Elle lui plie les doigts avec précaution, les déplie et repose la main sur le drap. Elle se penche, frôle son oreille et murmure « Milo, Milove », elle l'embrasse là, dans le creux du cou, lui chuchote « Réveille-toi, je suis là, je suis là pour toi, pour toujours, je t'aime, Milo, il faut que tu reviennes.» Elle dépose sur ses joues, sur son front, sur ses lèvres des baisers d'oiseau; elle dit: «Je suis ton suricate, ton grizzli, Milo»; elle égrène les petits noms qu'il aime lui donner et c'est comme si tous ces animaux convoqués faisaient la ronde autour de son lit d'hôpital, l'encerclaient dans une spirale tonique pour lui insuffler leur force vitale. «S'il te plaît, Milo, je sais que tu m'entends.»

Il a remué les lèvres, elle est sûre qu'il a remué les lèvres. Elle reprend sa main. Non, elle ne rêve pas, elle sent un frémissement, une imperceptible pression des doigts, et sur ses lèvres son nom qui se dessine en silence : Morgane.

Il a prononcé son nom.

Des rayures blanches et bleues

Kira se plante devant la glace, plus près, encore plus près, à quelques centimètres, elle scrute son nez, sa bouche, son menton. Elle traque sur son visage les traces de ce malgré lui de père – pour s'exprimer comme Gauguin –, elle tente de déchiffrer scs traits à la lumière de son absence.

Qu'est-ce qu'il lui a transmis ? Le nez, le nez sans doute, le nez bien droit, étroit, pas du tout comme celui de sa mère qui est plus court, plus épaté ? La bouche peut-être aussi, très dessinée et moins charnue que celle d'Arizou ? Son visage allongé ? Et quoi encore ? Qu'est-ce qui est inscrit de lui dans son fichu disque dur à elle ?

En tout cas, c'est décidé : elle ne lui écrira pas, elle ne répondra pas à sa lettre. Elle ne veut rien avoir à faire avec lui.

Elle a failli flancher quand elle a appris l'accident de Milo. Elle a pensé vie, elle a pensé mort. S'il devait clamser demain, s'est-elle dcmandé, est-ce que je regretterais de n'avoir pas dit oui ?» Mais elle n'a pas hésité longtemps : c'est clair, elle ne veut pas qu'il s'immisce dans sa vie.

Elle est peut-être dure ou cruelle, mais qu'importe ! Ça, comme le reste, elle le tient de lui. La violence et la férocité en héritage, merci, monsieur !

Elle n'est plus en colère, elle est juste déterminée à le maintenir à distance. Elles en ont suffisamment bavé, sa mère et elle, de sa désertion. Kira se souvient des paroles de cette petite fille, en maternelle : «T'es pas normale, Kira, t'as pas de papa.» Elle se souvient du regard des enseignants, de la directrice, de l'assistante sociale, non pas tant sur elle que sur sa mère. Et le père, il est où ?

On ne parle peut-être plus de fille-mère, mais les jugements restent. Elle ne peut pas oublier la compassion dégoulinante de faux bons sentiments : pauvre petite, fille de personne, fille de rien.

Et lui, le rien, son père en creux, qui pendant ce temps-là menait grand train. Elle avait trouvé quelques photos de lui sur internet, dont une, un peu floue, avec Johnny Hallyday. Apparemment, il travaillait dans l'import-export.

Mais qu'a-t-il eu besoin de lui écrire ? Elle était enfin tranquille, elle l'avait rangé dans un coin de son cerveau, il était devenu indolore. Et voilà qu'il ressurgit, qu'il emménage dans sa tête avec tout un fatras de vieilleries, qu'il colonise toutes ses pensées. Et Line qui en rajoute une couche en insistant pour travailler sur Gauguin, un mec de son espèce, en dépit de son génie.

Kira lisse son visage des deux mains pour dissiper les ombres.

Elle ne va tout de même pas se lamenter sur son sort. Ce qui est fait est fait, on ne revient pas en arrière, son histoire, elle doit l'assumer. Il y a des choses pires dans la vie. Ce qui est arrivé à Milo, par exemple. Est-ce qu'il va s'en sortir ? Est-ce qu'il ne risque pas d'être neuneu après ça, ou paralysé à vie ? Elle préfère ne pas y penser.

Morgane lui a dit qu'elle allait le voir à Auxerre cet après-midi. Pauvre Morgane, transparente à force d'être pâle. Alors ses états d'âme avec son papa cruel, elle peut s'asseoir dessus. Après tout, ça ne l'a jamais empêchée de vivre. Il ne faut pas exagérer, elle n'est pas malheureuse.

«Allez, ma vieille, on se remue, on arrête de se regarder le nombril !» Où a-t-elle mis le bouquin qu'elle a emprunté à Morgane ? *Noa Noa* ! Il est toujours dans son sac. *Noa Noa*, *now*, *now !*

Ces deux petits mots, qui signifient « odorant » en tahitien, résumaient dans l'esprit de Gauguin la vie sous les tropiques, ils en étaient la quintessence : une brise légère et parfumée. Ce livre très court, il l'avait écrit dans un but bien précis, pour que ses amis ou les collectionneurs, déroutés par ses toiles aux noms barbares, partagent son éblouissement polynésien. À l'origine, il était illustré, il voulait qu'il y ait autant à lire qu'à voir. Mais dans sa version poche, malheureusement, presque toutes les illustrations ont disparu.

Ce que Kira apprend en lisant la préface, c'est qu'avant de faire le choix de Tahiti Gauguin avait envisagé d'aller à Madagascar ! Il voulait y créer un atelier des tropiques, un lieu de vie et de création où ses amis seraient venus le rejoindre. Mais voilà, des gens l'en ont dissuadé en lui faisant valoir le manque de sécurité et le risque d'épidémie. Alors il y a renoncé : Tahiti était plus sûr.

Gauguin raconte qu'un jour où il se promène, peu après son arrivée, on l'invite à entrer dans une case. Il y a là des hommes, des femmes, des enfants, tous assis par terre, en train de discuter, de rire, de fumer.

Une belle femme d'une quarantaine d'années lui demande ce qu'il veut. Et lui, le plus naturellement du monde – c'est du moins ce qu'il écrit –, répond

qu'il cherche une femme. Rien que ça : une femme !
Comme au marché aux bestiaux. La femme lui répond
du tac au tac : «Si tu veux, je vais t'en donner une.
C'est ma fille.»

Suit ce dialogue édifiant :

– *Est-elle jeune ?*
– *Eha*.
– *Est-elle jolie ?*
– *Eha.*
– *Est-elle bien portante ?*
– *Eha.*
– *C'est bien, va me la chercher.*

Alors la femme sort tandis qu'on apporte le
repas – des *maiore* (les fruits de l'arbre à pain), des
bananes sauvages et quelques crevettes. La vieille
(c'est comme ça qu'il l'appelle) revient suivie d'une
grande jeune fille qui porte un petit paquet à la main.
Voici comment Gauguin décrit sa future compagne :

*À travers la robe de mousseline rose excessivement
transparente, on voyait la peau dorée des épaules et des*

---

*Oui

bras; deux boutons pointaient dru à la poitrine. Son visage charmant me parut différent de celui des autres que j'avais vus dans l'île jusqu'à présent.

Il la questionne :

— *Tu n'as pas peur de moi ?*
— *Aita**
— *Veux-tu toujours habiter ma case ?*
— *Eha.*
— *Tu n'as jamais été malade ?*
— *Aita.*

Et voilà, c'est tout. Il l'embarque, comme une marchandise, comme de la viande. Il l'emmène dans sa case pour qu'elle devienne sa femme. La fille a treize ans. Elle s'appelle Teha'amana. Et désormais elle est la femme du Blanc, de l'homme qui fait des hommes. La femme d'un homme affaibli et malade, car Gauguin, au cours de ses multiples pérégrinations, a contracté la syphilis – une maladie vénérienne redoutable qui se transmet sans espoir de guérison.

Et quand, plus tard, il lui faut repartir en France

---

*Non

parce que « des devoirs impérieux de famille » le rappellent, eh bien, il abandonne sa vahiné. Terminé ! Ce n'est pas plus compliqué que ça.

Il raconte que Teha'amana a sangloté plusieurs nuits de suite, et qu'au moment du départ elle regarde s'éloigner le navire, assise sur une pierre.

Ses jambes pendaient laissant ses deux pieds larges solides effleurer l'eau salée. La fleur qu'elle portait auparavant à son oreille était tombée sur ses genoux – fanée.

Kira renonce à continuer. C'est n'importe quoi. Elle ne peut pas supporter de lire ce concentré de machisme. Ce livre, elle va le rendre illico à Morgane.

Pourtant, alors qu'elle s'apprête à le refermer, son regard est attiré par un tableau, un portrait de Teha'amana, précisément.

Dans sa belle robe européenne à rayures blanches et bleues, la chevelure couronnée d'une légère guirlande de fleurs, et le regard assuré, elle a l'air d'une jeune reine. Elle brandit son éventail comme un sceptre. Elle n'a rien d'une enfant, elle est une princesse maorie fière de ses innombrables ancêtres, que Gauguin a représentés en frise derrière elle. Elle est une déesse au panthéon des dieux tahitiens.

Bleu miroir

Milo a beau essayer de se souvenir de l'accident, sa mémoire est comme un lac gelé dont la surface bleu miroir ne lui renverrait que sa propre image. Le souvenir des événements, leur enchaînement, a coulé à pic, bloc inaccessible, bouclé, cadenassé, dans les profondeurs de son inconscient. Pourtant, ce n'est pas faute de se repasser le film de cette matinée-là.

Ils ont eu du mal à démarrer le van, Martin a même cru qu'il n'y arriverait pas, et puis finalement le moteur s'est réveillé, il a toussé et s'est déclenché dans un vrombissement de tous les diables. Ils ont hurlé de joie et Oscar a mis Kendrick Lamar à fond... *Pour up, drank, (drank), head shot, drank, (drank)...* et ils sont partis. *Drank, (drank)*, ils étaient libres, ils étaient seuls au monde, avec la musique en perf' dans les veines. Les bouchons, ils s'en tapaient, Oscar a allumé une clope et ils ont baissé les vitres du van... *Pass out, drank, (drank), wake up, drank, (drank)*, *faded, drank, (drank)*... Les gens dans les voitures d'à côté les regardaient avec des mines effarées, comme s'ils étaient des fous furieux. Vraiment pas fun, les gens ! Ils étaient morts de rire. Puis la circulation est devenue plus fluide. Ils ont roulé impec. Milo pensait à Morgane, sa princesse, sa *baby love*. La prochaine fois, il l'emmènerait, il lui apprendrait à voler. Le viaduc se trouvait près d'Auxerre, un plan d'Oscar, un de ses potes en avait fait une base de saut à l'élastique, pour eux ce serait gratos. Vraiment un bon plan, ce serait cool de sauter tous ensemble et là, plus rien... le trou noir.

Ce sont Martin et Oscar qui lui ont raconté la petite route sur la droite, la camionnette qui a surgi, le choc. Il paraît que, malgré la ceinture, sa tête a heurté le pare-brise. Elle devait être pourrie, la ceinture, comme le reste du van. Heureusement que Martin ne roulait pas à fond la caisse, sinon tchao bye-bye, *exit* Milo !

Ensuite, il y a des flashs, la mémoire qui patine : il vole, en apesanteur au-dessus de son corps qu'il peut voir d'en haut, immobile sur un lit, comme s'il appartenait à quelqu'un d'autre. C'est trop bizarre. Il y a des bruits qui lui parviennent, des bruits lointains et froids, des voix de métal. Et puis des chuchotements à travers des couches de nuages, maman, Line, Morgane, elles disent son nom. Il ne peut pas répondre, il n'habite plus son corps. Il n'est pas mort, mais plus tout à fait vivant non plus. Est-ce ce qu'on appelle la *near death experience** ?

Il a du bol, le scanner est bon. L'hématome cérébral s'est résorbé. Il a encore parfois mal à la tête, mais ça passe en général avec un ou deux comprimés. Quant à sa jambe, ça aurait pu être pire. Ce genre de fracture, ça arrive à des tas de sportifs. Certes, c'est un peu pénible de ne pas pouvoir mettre le pied par terre – au moins pendant deux mois encore –, mais le chirurgien lui a promis qu'après une bonne rééducation, il courrait comme un lapin. Après tout, il aurait pu être paralysé !

– Salut !

C'est son père. Paul se penche pour embrasser son fils et s'assied au pied de son lit. Il vient le voir tous les jours.

Au début, ce n'était pas évident. Ils étaient aussi mal à l'aise l'un que l'autre, le père et le fils. Ils ne savaient pas très bien quoi se dire. Ils effleuraient les sujets sans les aborder vraiment, comme les papillons

---

*Expérience de mort imminente.

130

qui évitent une lampe allumée de peur de se brûler les ailes. C'était la première fois qu'ils se retrouvaient en tête à tête, sans personne pour faire écran.

Il a fallu du temps pour qu'ils baissent la garde, les barrières ont cédé et ils ont enfin osé se parler d'autre chose que du temps, de la circulation automobile et de la jambe blessée de Milo.

Milo a tenté de décrire ce que ça lui faisait de voler, cette sensation énorme, faramineuse – pied total, pur shoot d'adrénaline –, comme une libération sous condition, tous les capteurs du cerveau maintenus en alerte, concentration maximale requise, avec cette conscience aiguë qu'à tout moment tout peut basculer ; il a parlé de la maison, de l'atmosphère à couper au couteau qui y régnait depuis que lui, son père, était parti, une misère, et comment soudain l'accident avait complètement changé la donne en propulsant sa mère hors de sa zone de dépression.

– Tu vois, papa, même dans le pire du pire, il y a du positif.

Et lui, Paul, pour la première fois peut-être, s'est autorisé à parler de cette urgence à peindre, cette nécessité absolue qui le prend à la gorge, en tenaille, et ne le lâche pas, et du soulagement qu'il ressent désormais de pouvoir se mettre au travail dès le matin – et parfois jusqu'au soir – dans cette ferme paumée au fin fond de la campagne bretonne. Il a répété à Milo ce qu'il avait confié à Line après l'accident, lorsqu'ils roulaient vers Auxerre : qu'il n'avait pas le choix, qu'il fallait qu'il parte. Ça ne voulait pas dire que là-bas la vie était facile tous les jours, il était hébergé par un ami, ou plutôt une connaissance, un type malade et maniaque à qui il rendait des services en échange du logement et de l'atelier. Il lui faisait ses courses et même, d'après ce que Milo avait compris, son ménage. Son père en homme de ménage, Milo avait peine à le croire. Il était tellement bordélique quand il était à la maison !

Le visage de Paul s'illumine quand il évoque la grande fresque qu'il a en chantier. Il dit que c'est plus fort que lui, qu'il y pense sans cesse, qu'il a hâte de la retrouver.

– Est-ce que je suis un monstre ? Je suis ici avec toi, et je ne te parle que de repartir. J'ai une famille mais je n'arrive plus à vivre avec elle.

Comme si Milo ne faisait pas lui-même partie de cette famille-là. Comme s'il oubliait qu'il s'adressait à son fils.

– Est-ce que le jeu en vaut la chandelle ?

– Ça, papa, personne ne peut le dire.

Qu'est-ce qui fait qu'un artiste est reconnu ? Comme Paul le dit souvent, l'art, c'est 1 % de talent, 99 % de travail et 100 % être là au bon endroit, au bon moment. «Je sais, ajoute-t-il généralement, ça fait 200 %, mais on s'en fout. En matière d'art, 1 + 1 n'ont jamais fait 2.»

– Je ne pourrais pas vivre sans peindre, mais, contrairement à d'autres, je passe mon temps à douter. C'est mon problème, je ne sais pas ce que je vaux, je ne sais même pas où je vais.

Alors ça n'a pas loupé :

– Van Gogh ou Gauguin, eux, ne doutaient pas. Ils n'ont pas eu une existence facile, mais ils étaient convaincus de leur valeur, convaincus qu'il étaient de grands artistes. Ils y croyaient dur comme fer, même si leurs toiles ne se vendaient pas.

– Arrête de te comparer aux autres, papa ! Toi, c'est toi. Et puis qu'est-ce que tu en sais, qu'ils ne doutaient pas ? Tu n'étais pas dans leur peau, encore moins dans leur cerveau.

– Tu as raison. Je suis idiot. On ne peut pas créer si on est bardé de certitudes, si on ne se remet pas en question d'une façon ou d'une autre. Tu es un sage, finalement !

– Tu en doutais ?

Paul a un petit rictus qui est peut-être un sourire, il se penche et tend à Milo un sac en papier qu'il avait posé à ses pieds en arrivant.

À l'intérieur, il y a un carnet, des crayons, des feutres fins.

– J'ai pensé que tu pourrais t'y remettre, tu dessinais bien quand tu étais petit.

Milo est un peu surpris, ça fait un bail qu'on ne lui a pas offert de quoi dessiner.

– On ne voit pas le temps passer quand on a un crayon entre les mains, dit Paul se levant pour embrasser son fils.

Ciel argenté

Paul est reparti. Il a dit : « Milo va mieux, je peux retourner en Bretagne. » Il a ajouté : « Je suis désolé, ici, je suis un zombie, je n'existe pas. Je vous aime tous, vous comptez plus que tout au monde pour moi, mais il faut que j'y aille. »

Il est reparti et Line ne lui en veut pas, ne lui en veut plus. Il est évident que sa place n'est plus à la maison. Il y est comme un bateau à la dérive. Son port, c'est la peinture. C'est peut-être Gauguin qui lui en a fait prendre conscience. Un artiste n'est jamais vraiment d'ici ni vraiment d'ailleurs, un artiste appartient à son œuvre.

Paul a promis qu'il reviendrait régulièrement pour voir Milo.

Il a aussi invité Line à venir passer quelques jours en Bretagne. À Pâques.

– Ça te fera du bien, viens avec Morgane et Kira, je vous emmènerai à Pont-Aven et au Pouldu, sur les traces de Gauguin. Tu verras, Antoine est un peu bourru, mais dans le fond il est sympa. Il sera content de voir de la jeunesse.

L'idée a plutôt plu à Line, et lorsqu'elle en a parlé aux filles, elles ont tout de suite été d'accord. «En attendant un petit voyage à Tahiti et aux Marquises!» a plaisanté Kira. Quitte à partir sur les traces de Gauguin, autant le faire sérieusement!

Line se replonge dans *Le Roman de Paul G.*

Tu es toujours entre Paris et la Bretagne, Paul, et tu ronges ton frein. Tu rêves de repartir, tu ne penses qu'à ça, mais avec quel argent? C'est l'éternelle question.

En février 1890, tu écris à Mette: «Puisse venir le jour où j'irai m'enfuir dans les bois sur une île (et peut-être bientôt) de l'Océanie, vivre là d'extase, de calme et d'art. Entouré d'une nouvelle famille, loin de cette lutte européenne après l'argent. Là à Tahiti je pourrai, au silence des belles nuits tropicales, écouter la douce musique murmurante des mouvements de mon cœur en harmonie amoureuse avec les êtres mystérieux de mon entourage. Libre enfin, sans souci d'argent et pourrai aimer, chanter et mourir.»

Entre cette lettre et ton départ pour Tahiti, il s'écoule plus d'un an. Un an au cours duquel Vincent Van Gogh, chez qui tu as fait ce séjour catastrophique, s'est suicidé. La nouvelle de sa mort t'a fait un coup. Tu avais beau le trouver dérangé le Hollandais, dans le fond, tu l'aimais bien.

Tu mets le temps, mais tu réussis finalement à réunir les fonds pour financer ton voyage. Adieu, la Bretagne, Le Pouldu, la petite buvette sur la plage et sa patronne, la jolie Marie Henry, si jolie qu'on l'appelle Marie Poupée ; adieu, les amis, adieu, la famille viking et les enfants qui grandissent sans toi, adieu, la France.

Le 1er avril 1891, Paul, tu pars seul pour Tahiti, ton éden, ta Terre promise.

Là-bas, penses-tu, tout est différent, le ciel ne connaît pas l'hiver ; la nature est bonne et généreuse ; il suffit de tendre le bras pour cueillir des fruits délicieux, des fleurs odorantes et attraper des poissons vif argent.

Là-bas, les femmes sont naturellement belles et douces, les hommes amicaux et accueillants.

Là-bas, on ne vole pas, on n'assassine pas.

Là-bas, c'est le paradis, tout simplement !

Mais lorsque, deux mois plus tard, tu débarques à Papeete au terme d'une longue et ennuyeuse traversée, les gens du cru t'accueillent avec des gloussements et des regards ironiques. Il faut reconnaître que tu as une drôle de dégaine avec tes longs cheveux poivre et sel et ton profil d'Inca taillé à la serpe sous ton chapeau de cow-boy.

Papeete est peuplé de petits Français, des fonctionnaires, des soldats, des femmes légères et aussi des Chinois. Le paradis n'est plus ce qu'il était, on t'y a devancé.

Alors tu décides de pousser plus loin dans l'île. Un gendarme qui t'a pris en amitié te prête un cheval et une carriole. Tu t'enfonces dans la brousse. Tu longes le lagon bleu et vert ourlé de longs rouleaux d'écume, tu aperçois les larges récifs de corail au large et la beauté sauvage du rivage te ragaillardit.

Il te faut cinq heures pour arriver à Mataiea, tu sais tout de suite que c'est ici que tu vas t'établir. Sur le sol pourpre, des feuilles d'un jaune métallique brillent comme des pièces d'or. Tu n'as aucun mal à trouver une case à louer. Elle est vaste et adossée aux montagnes bleues. Lorsque tu te tiens sur le pas de la porte et que tu regardes la mer, un grand cocotier desséché qui ressemble à un perroquet géant se détache sur le ciel argenté.

La première nuit, dans le silence opaque de la nuit tahitienne, tu t'endors au rythme de ton cœur qui bat.

Dès le lendemain, tu te mets à travailler. Tu es comme un débutant, tout t'aveugle, tout t'éblouit dans le paysage. Tu te gorges de sensations, tu es comme une éponge et, pour la première fois de ta vie peut-être, tu te découvres hésitant. Oseras-tu mettre ce rouge, ce bleu purs sur la toile ? Il faut tout reprendre à zéro, te défaire de tes habitudes d'Occidental.

Peu à peu, tu retrouves son assurance. Tu demandes à ta voisine de poser pour toi et tu es très déçu quand elle s'écrie «Aita» et qu'elle s'enfuit. Mais elle revient bientôt, vêtue d'une belle robe bleu sombre à col de dentelle blanc, une fleur de tiaré sur l'oreille.*

« C'est ta femme ? » te demande-t-elle en désignant une photographie qui décore ta case.

Et toi, va savoir pourquoi ? tu réponds : «Oui, oui, c'est ma femme.»

Or cette femme nue allongée à laquelle une servante noire apporte un bouquet de fleurs, c'est la fameuse Olympia de Manet, ce tableau qui a fait scandale une trentaine d'années auparavant.

« Elle est belle ».

La réponse de ta voisine te trouble et t'émeut. Cette femme qui ne connaît rien à l'art occidental a su d'emblée reconnaître le beau dans ce tableau si férocement critiqué par les Parisiens. Tu te dis qu'elle a plus de bon sens que la plupart de tes compatriotes.

Tu travailles rapidement, brossant les traits placides et énergiques de la femme d'une main sûre. On ne peut pas dire qu'elle soit jolie, non, mais belle, oui, absolument, et, comme elle, son portrait brûle d'une force contenue.

---

*Non

Rose réglisse

Allez, allez, se dépêcher, boucler son sac, Line et Kira vont arriver.

Trois slips, trois T-shirts, un jean de rechange, des affaires de toilette, Morgane prend le minimum. Ne pas oublier sa brosse à cheveux et un gros pull – il ne doit pas faire chaud là-bas – et un K-Way – il pleut en Bretagne. Elles partent tout à l'heure.

C'est Jérôme, son père, qui les y emmène. Ça s'est organisé au dernier moment. Il se trouve que Jérôme est invité à un congrès à Quimper, et du coup il en profite pour passer le week-end sur place, avec sa nouvelle conquête que Morgane ne connaît pas. Sans doute est-ce encore une fille à peine plus âgée qu'elle, comme les précédentes. Ce n'est pas génial, mais c'est comme ça, son père aime les lolitas. Elles trois, elles logeront chez le père de Line, ou plutôt chez le vieux type qui l'héberge.

Morgane a un peu hésité à quitter Milo, mais lui a beaucoup insisté : « Tu me raconteras ce que mon père fabrique dans sa cambrousse.» La bonne nouvelle, c'est qu'un mois après son accident il va mieux, beaucoup mieux. Les médecins disent qu'il n'aura pas de séquelles.

Elle ne trouve pas son K-Way. Est-ce qu'il faut des bottes aussi ? Et voilà qu'on sonne déjà. Line et Kira sont sur le pas de la porte, toutes pimpantes avec leur sac à dos. Morgane gémit :

– Je suis en retard.

– Mais non, c'est nous qui sommes en avance, dit Kira, on va t'aider à faire ta malle.

Line s'est fait couper les cheveux tout court.

– Ça te va super bien.

Entre Morgane et elle, tout est rentré dans l'ordre, Line semble s'être faite à l'idée d'avoir à partager son frère avec elle.

– Tu ne trouves pas que j'ai l'air d'un garçon ?

– Pas du tout. Tu es trop belle.

Impossible de retrouver ce K-Way. Elle appelle sa mère qui est au bureau, et qui n'en sait rien non plus : «Tu n'as qu'à prendre le mien dans le placard de l'entrée.» Resonnerie. Cette fois, c'est son père. Jérôme Marsan les attend en bas. «Dépêchez-vous, les filles, la Bretagne, ce n'est pas la porte à côté !» Avec lui, il faut toujours se dépêcher.

Morgane ferme la porte à double tour, cavalcade dans l'escalier, la grosse Audi noire est garée devant l'immeuble. Son père la serre dans ses bras. Il sent le papa de quand elle était petite. Il n'a pas changé d'eau de toilette. Il rit, il a l'air en forme et paraît même rajeuni. Il dit :

– Je vous présente Lucie !

Morgane a tout faux, elle n'a rien d'une lolita, mais alors rien ! C'est une grande perche d'un mètre quatre-vingt-dix au bas mot, avec un look incroyable : jean et veste style Chanel, collier de perles et santiags, les cheveux archi noirs coupés au carré, les lèvres rouge carmin, des dents qui brillent comme des touches de piano – elle en jette, la nouvelle copine de son père ! Rien à voir avec Claire, pas non plus le genre de Jérôme a priori. Un ovni ! Comme quoi, on ne connaît jamais tout à fait ses parents.

– Jérôme m'a beaucoup parlé de vous, Morgane.

So chic ! Elle la vouvoie, mais elle l'embrasse. Elle sent la réglisse, la rose, le dentifrice à la menthe. Elle ne serait pas anglaise, par hasard ? Morgane se dit que ça va être fun !

– Elle est top, la Grande Lucie, lui souffle Kira à l'oreille.

Jérôme Marsan démarre. Ça y est, ils sont partis, Morgane relâche la pression. Elle n'a plus qu'à se laisser porter. Elle se sent protégée à côté de Kira et de Line, avec la nuque large et rassurante de son beau papa en ligne de mire. La Grande Lucie a la voix grave et chaude. En trois minutes, elle leur a tout dit de sa vie : veuve, un mari mort d'un cancer, trois grands enfants, elle est conservatrice dans un musée. La peinture, c'est sa passion, ça tombe bien… Line parle de son père. Lucie connaît le travail de Paul de Bruyn. Line écarquille les yeux.

– Incroyable !

– Mais non, proteste Lucie, il a beaucoup de talent. Je me souviens très bien de sa dernière exposition. Il a eu une critique exceptionnelle.

– C'était il y a cinq ans au moins.

Il y a une pointe d'amertume dans la voix de Line.

Mais Lucie est super positive. Elle affirme qu'un artiste n'est pas obligé d'exposer tous les ans. Qu'elle a un ami peintre qui ne montre son travail que tous les quinze ans. Il voyage beaucoup, il va de capitale en capitale, et passe ses journées à peindre des plaques d'égout miniatures qu'il met ensuite bout à bout avant de les brumiser à l'acrylique noire.

– Quel gâchis ! dit Line.

Lucie n'est pas d'accord, elle trouve que c'est au contraire un travail remarquable sur la mémoire, le noir figurant le temps qui engloutit les détails, l'essentiel seul émergeant des zones d'ombre. L'art contemporain ne semble pas avoir de secrets pour elle, elle connaît tout le monde, mais, mis à part le père de Line, les noms qu'elle lance ne disent rien à Morgane.

Elle parle, elle parle, la Grande Lucie, sa voix est une vague qui va, qui vient, une vague grave. Puis la conversation glisse sur Gauguin, peut-être que Morgane s'est assoupie, peut-être qu'elle a loupé quelque chose, il fait chaud à l'arrière et la tête de Kira repose sur son épaule.

– Gauguin, il est hors catégorie ! Ni ange ni démon, mais un monstre à sa façon. Il n'a pas seulement inventé une nouvelle façon de peindre, il a inventé un monde, un Tahiti de légende, un Tahiti qui n'a jamais existé que dans son imaginaire. Et sa vision dure ! Aujourd'hui encore, quand on évoque la Polynésie, ce sont ses toiles qui viennent à l'esprit. Cela dit, il est resté très parisien. Il s'en défendait, il ne cessait de répéter qu'il cherchait le sauvage en lui, mais au milieu des sauvages – si je peux les appeler ainsi – il faut bien reconnaître qu'il ne se sentait pas tout à fait à sa place. Son problème, c'est qu'il était partout en exil. En fait, il était bourré de contradictions. Il n'a pas eu de son vivant la reconnaissance qu'il méritait. Ses tableaux étaient bradés en France et il en souffrait parce qu'il était conscient de son talent, légitimement orgueilleux…

Morgane n'entend pas la suite, elle s'est endormie pour de bon.

Peau bleue

À l'arrière, seule Line est encore éveillée. Elle ne dort jamais en voiture, elle préfère lire. Mais avec la Grande Lucie qui n'arrête pas de parler, ce n'est pas évident de se concentrer. Si seulement elle pouvait se taire un peu, ça ferait du bien à tout le monde. Elle est incroyablement cultivée, mais vraiment soûlante. Line n'en revient toujours pas qu'elle connaisse son inconnu de père. Et puis tout ce qu'elle dit sur Gauguin est passionnant. C'est vrai qu'il a inventé une Polynésie de légende avec ses arbres bleus, son ciel jaune, ses femmes corail, et que même désespéré, même au bout du rouleau, il n'a cessé de peindre la beauté mystérieuse et éclatante de ces lieux et de ces gens.

Jérôme allume la radio. Peut-être que lui aussi en a assez du flot de paroles de sa compagne. *Fooormidable, tu étais formidable…* on n'échappe pas comme ça à Stromae. Line soupire et se replonge dans *Le Roman de Paul G.* Elle ne l'a toujours pas terminé, bien obligée de le laisser en plan à cause des profs qui soudain se sont déchaînés : *Le Grand Meaulnes* et *L'École des femmes* à lire, fiches de lecture à l'appui, contrôles à la chaîne, et en prime un exposé sur le Japon en guerre… help !

Gauguin est à nouveau à Tahiti. Après un voyage de dix-huit mois en France, entre août 1893 et février 1895, il a quitté le pays pour toujours. Il est plutôt mal en point, boit trop, fait de nombreux séjours à l'hôpital.

Décembre 1897. Cette fois, tu as touché le fond.

L'année qui se termine a été désastreuse. À la maladie et au manque d'argent est venue s'ajouter l'annonce cruelle de la mort d'Aline. Ta fille unique, ta chérie, a été emportée en trois jours par une pneumonie. Tu l'as appris avec des semaines de retard. Une lettre, quelques mots laconiques de Mette t'en ont informé alors qu'elle était déjà enterrée depuis longtemps.

Tu es las de tout, tu n'as plus le courage de lutter, plus l'envie de vivre une nouvelle année. Il y a quelques mois, tu as déjà essayé d'en finir. Tu es parti seul dans la montagne. Tu voulais mourir loin de ta case, loin des regards, loin de Pahura, ta jeune vahiné. Mais il était sans doute écrit que ce n'était pas encore ton heure, la mort n'a pas voulu de toi. Avais-tu mal dosé l'arsenic ? Toujours est-il que tu en as été quitte pour des vomissements et de violents maux de ventre.

Tu n'as pas dit ton dernier mot, tu es toujours bien décidé à abréger tes souffrances sur terre – la maladie ne te laisse pas de répit –, mais pas tout de suite. Tu veux d'abord peindre une grande fresque qui sera en quelque sorte ton testament en peinture.

Tu ne vas pas chercher très loin, tu prends ce qui te tombe sous la main, une toile à sac toute rugueuse et pleine de nœuds. Ce qui t'importe, c'est qu'elle soit grande, et elle l'est : quatre mètres cinquante sur un mètre soixante-dix. Tu t'attelles à la tâche et, durant un mois, tu travailles jour et nuit. Tu y mets toute son énergie, toute ta passion douloureuse.

La fresque retrace une histoire vieille comme le monde, la grande épopée de la vie, de la naissance à la mort, dans le cadre somptueux d'un sous-bois tahitien. À travers les troncs sinueux des arbres bleus brillent les eaux émeraude et saphir du lagon enchanté. Quelques animaux accompagnent les humains qui déambulent ou se reposent sous le regard bienveillant d'une idole à la peau bleue. Il y a là une chèvre, des oiseaux, une portée de chatons blancs et un grand chien noir à pattes blanches qui ressemble à Anubis, le dieu égyptien de la mort.

Gauguin a baptisé sa fresque *D'où venons-nous ? Que sommes-nous ? Où allons-nous ?* et le livre se déplic sur trois pages pour en offrir la vision colorée. «Quatre mètres cinquante, pense Line, c'est la taille du tableau de papa.» Le connaissant, elle est sûre que ce n'est pas un hasard.

La fresque de Gauguin, elle, se lit un peu comme un manga, de la droite vers la gauche, elle est paisible et belle, et ne correspond pas du tout à l'idée qu'on pourrait se faire de la dernière toile d'un peintre désespéré.

Gauguin ne va pas mourir tout de suite d'ailleurs. Il a encore cinq ans à vivre. Cinq ans, c'est à la fois très long – où en sera Line dans cinq ans ? Sera-t-elle toujours amie avec Morgane et Kira ? – et très court, à l'échelle d'une vie entière.

Gauguin va partir une fois de plus. Il va quitter Tahiti qui le déçoit. Il lui faut du plus sauvage, du plus rude, du encore plus brut. On lui a dit qu'aux Marquises des hommes tatoués de la tête aux pieds mangeaient encore parfois leurs semblables. Quelle chance, des anthropophages, de vrais sauvages ! Ce sera son dernier voyage.

Fourmis rouges

Tu pars, tu ne te fais aucune illusion, ce sera la dernière fois, ton ultime flambée d'enthousiasme. Tu traverses un bout d'océan et accostes au port d'Atuona sur l'île de Hiva Oa.

Où trouves-tu l'énergie de tout recommencer ? Toi qui te disais vaincu par la misère, la maladie, la vieillesse prématurée, toi qui voulais en finir avec la vie, tu construis une case confortable et spacieuse et, une fois de plus, tu prends femme, une très jeune femme qui bientôt te donnera un nouvel enfant. Ta case, tu la baptises «Maison du Jouir», la décores somptueusement de panneaux en bois sculptés, bas-reliefs polychromes, véritable chant d'amour à la beauté des femmes, des fleurs, de la nature et de la vie. Et parce que ça ne te suffit pas, tu pars en guerre contre l'administration locale, te bats bec et ongles pour la défense des habitants de l'île.

Gauguin à la fois hargneux et sentimental, battant et désespéré, aveuglé et perspicace : une boule d'aspirations et de contradictions, une bombe à retardement qui explose en peinture. Est-ce la condition du génie ou sa marque ?

Mais ce qui frappe le plus Line, c'est le regard émerveillé que le peintre porte sur la nature qui l'entoure. Comme si le monde était un grand jardin.

Tu émerges de ta sieste, Paul.

As-tu dormi ? As-tu somnolé ? Tu découvres l'espace autour de toi comme au premier jour. L'espace sans limites.

Il est le commencement, il est la fin.

Le soleil poursuit sa course dans le ciel.

À l'horizon, il lèche un morceau de terre qui brille comme de l'or sur l'eau. Le mouvement est perpétuel. Tu as une case, une poule, une femme et un petit enfant. Devant toi, des cocotiers, des bananiers. Tout est vert. Et cette déchirure bleue, là au milieu, c'est la montagne au loin.

Tu te sens comme un miraculé.

Il vient d'y avoir une tempête effroyable qui a presque tout emporté sur l'île, mais ta case, ce fétu de paille, a résisté à la grande colère du ciel. Est-ce un signe ? Tu as vécu une nuit d'enfer traversée de craquements sinistres, tout autour de toi des arbres cathédrales tombaient comme des allumettes et un fleuve de boue dévalait la colline en charriant des blocs de pierre. Le vent rugissait, il s'engouffrait sous le toit de ta case, ce toit léger en feuilles de cocotier. Quand il a soufflé ta lampe, tu t'es dit : « C'est fini, la tempête va tout emporter : et moi avec. » La nuit a été interminable. Mais au petit matin, tu étais toujours là, et autour de toi les cocotiers dont la chevelure frisait la terre commençaient à redresser la tête.

Tes jambes te font atrocement souffrir. Des fourmis invisibles, des hordes de fourmis rouges, les dévorent de l'intérieur. Tu sens bien que tu ne tiendras pas long-temps, ton corps fout le camp. Mais tu sais aussi que tant que tu pourras peindre, tu seras sauvé.

Tu vas travailler aujourd'hui, tu vas mettre toutes tes forces dans la bataille. Et demain, tu recommenceras, et ainsi de suite. Chaque jour est un jour de gagné.

Ciel ardoise

C'est la douleur qui réveille Kira, elle a la nuque en compote d'avoir dormi toute tordue.

Il pleut, la pluie gifle les vitres de l'Audi, les essuie-glaces lèvent les bras en cadence, et Morgane dort, la tête sur l'épaule de Line, qui lui sourit par-dessus son bouquin. Comment fait-elle pour lire en voiture ? Kira en serait bien incapable, elle a mal au cœur au bout de trois lignes.

La voiture roule moins vite maintenant. Elle a quitté l'autoroute pour s'engager sur une route de campagne. Il a cessé de pleuvoir. Mais le ciel a une couleur ardoise qui annonce d'autres orages.

Kira pense à sa mère qu'elle a laissée toute seule. Arizou l'a poussée à partir, elle lui a dit de ne pas s'en faire, qu'elle irait passer un moment chez ses cousines ce week-end, et qu'elle en profiterait pour se reposer. Elle dit qu'elle est si fatiguée qu'elle pourrait dormir trois jours d'affilée. Pour elle, la vie est une lutte quotidienne. Elle est sans cesse sur le qui-vive, elle a peur de tout : peur d'arriver en retard à son travail, peur de le perdre, peur qu'il n'arrive quelque chose à Kira.

La voiture freine brutalement.

– L'imbécile ! J'ai bien failli me le faire, gronde Jérôme.

Un type à Mobylette a débouché de la droite, à toute allure.

Le coup de frein a réveillé Morgane en sursaut. Elle se redresse.

– Qu'est-ce qu'il y a ?

– Rien. Un kamikaze.

Jérôme a encore ralenti. La destination est proche. La demoiselle robot du GPS donne ses instructions d'une voix monocorde.

Un petit bois, une fourche, une croix en granit. La voiture prend un chemin qui taille une voie étroite dans la végétation, elle pénètre dans une grotte de verdure. Les branches caressent les portières. Tout au bout, un portail en bois vermoulu, une petite maison en granit, une autre plus grande et encore une autre sur la droite. Un hameau en somme. Un homme apparaît sur le seuil de la maison du fond, vient à leur rencontre. Kira reconnaît le père de Line. Elle ne l'a pourtant vu qu'une fois, il y a long-temps, mais sa fille lui ressemble.

– Vous avez fait bon voyage ?

Ils s'extirpent de la voiture, déplient leurs jambes, étirent leurs bras. L'air est frais et chargé de pluie, le granit presque noir, le sol, les pierres sont recouverts de mousse vert fluo. Un vrai décor de conte celte. La Grande Lucie est excitée comme une mouette à l'approche d'un chalutier. Elle se jette littéralement sur Paul de Bruyn, l'étourdit sous une effervescence de paroles.

– Quel endroit magique ! Cette alliance de granit et de verdure est prodigieusement apaisante. Comme c'est vivifiant, comme ça doit être inspirant ! Je comprends tellement que vous ayez choisi de vous établir ici, au plus près de la nature.

– Lucie connaît déjà votre travail, précise Jérôme. C'est une fan, elle brûle de découvrir vos dernières œuvres.

– Ah, dit le père de Line un peu gêné. Je ne sais pas, je n'ai pas grand-chose, ici. J'ai une toile en cours, mais ça m'ennuie un peu de vous la montrer alors qu'elle n'est pas encore tout à fait terminée.

– Ça me ferait tellement plaisir de la voir avant de repartir, insiste la Grande Lucie.

Kira croise le regard de Morgane. Elle lève les yeux au ciel. C'est vrai qu'elle est sacrément lourde, sa nouvelle belle-mère en puissance, elle occupe tout l'espace.

— Vous… vous repartez tout de suite ? demande Paul.

— Malheureusement oui. Nous avons fait un crochet pour déposer les filles, mais nous sommes attendus à Quimper.

— Je comprends, je comprends, marmonne Paul. Eh bien, suivez-moi.

Ça n'a pas l'air de l'enchanter. Il se dirige vers la première maison en traînant les pieds. Kira, Line et Morgane se regardent : elle exagère, ça ne se fait pas. Paul se retourne.

— Vous venez, les filles ?

Elles entrent à sa suite dans la maison. À l'intérieur, toutes les cloisons ont été abattues si bien qu'il ne reste qu'une grande pièce qui ouvre sur un petit jardin abrité. Il y a toute sorte d'arbres et d'arbustes, et même des palmiers, Kira ne savait pas qu'il en poussait en Bretagne. Une toile immense occupe tout le fond de la pièce, une fresque qui évoque une jungle tropicale aux lianes enchevêtrées tout autant qu'un jardin breton saturé d'humidité. De cette verdure émerge une forme rouge.

— Ça alors ! s'exclame Line.

Chien rouge ! Ou plutôt l'esprit de chien rouge, son fantôme, suggéré dans une évocation très libre.

Lucie s'avance, cligne des yeux, recule et lâche :

– Magistral !

Paul se tient à distance de la toile et la regarde comme si ce n'était pas lui qui l'avait peinte.

– J'aime beaucoup, dit Jérôme. C'est très décoratif.

– Mais enfin, Jérôme, comment peux-tu être aussi réducteur ? s'insurge la Grande Lucie. Décoratif ! Alors que c'est… c'est un monde en soi, une alternative géniale à l'exotisme, un jeu subtil entre le végétal et l'animal. Tu vois bien que tout s'auto-génère ! C'est Gauguin revisité, redéployé dans un environnement vivant, à dimension organique…

Kira se retient de pouffer de rire.

– Je ne vois pas ce qu'il y a de mal à trouver ça décoratif, bougonne Jérôme.

– On va juste dire que c'est chouette ! tranche Morgane.

Paul s'est approché de sa fille. Il lui passe un bras autour de l'épaule.

– Et toi, ça te plaît ?

– Oui, murmure Line, vraiment beaucoup.

Ça fait plaisir à Paul, Kira voit bien que ça lui fait plaisir : une petite lumière danse dans ses yeux.

– Bon ! dit-il au bout d'un moment. Eh bien maintenant, je vais vous présenter le maître des lieux, mon ami Antoine.

Il ouvre la porte-fenêtre, traverse le jardin aux palmiers suivi de ses invités.

– Antoine est un peu fatigué en ce moment, il se remet tout juste d'une opération.

Ils pénètrent dans la troisième maison. Un feu brûle dans la cheminée, devant laquelle un homme est assis, à contre-jour.

– Antoine, dit Paul, voici Line et ses amies, Jérôme et…

– Lucie, lui souffle la Grande Lucie.

– Entrez, dit l'homme d'une voix sourde. Bienvenue à Kerzelou.

Il s'extrait de son fauteuil avec difficulté. Il attrape une canne et s'avance vers eux. Chacun se présente.

– Line…

– Morgane…

– Kira…

- Kira ? répète-t-il.

Il est toujours à contre-jour.

– C'est un beau prénom. Malgache, n'est-ce-pas ? Je connais une Kira, elle doit avoir votre âge.

Il s'avance, le corps voûté en appui sur sa canne,

il s'approche toujours, il se redresse, il est tout près, il est immense, une baraque sombre, la tête auréolée de lumière… Alors les jambes, les bras, tous les os de Kira se transforment brusquement en guimauve.

Couleur ciment

Line tend l'oreille. Le vent, à la fenêtre, gémit comme un enfant qu'on aurait puni. Il cogne au carreau, tente de s'infiltrer par tous les bords, cherche les interstices, fait claquer le volet qu'on n'a pas réussi à fermer. Elle entend la respiration régulière de Morgane dans le lit d'à côté, le léger ronflement de Kira à l'autre bout de la pièce.

Paul de Bruyn les a installées toutes les trois dans le grenier de la maison d'Antoine. Épuisée, Line a sombré dans un sommeil sans rêve, mais le vent et la pluie l'ont réveillée, et à présent, elle écoute les bruits de la nuit sans pouvoir se rendormir. Dehors, sous l'effet des bourrasques, une lampe s'allume et s'éteint par intermittences, projetant les ombres convulsées des branches dans la pièce. Et tandis que Line guette leur apparition syncopée, elle revoit Kira qui vacille, Kira dont le teint a pris la couleur du ciment, elle entend le cri de Morgane qui se précipite pour la recevoir dans ses bras, la guider vers un fauteuil.

– Il fait trop chaud ici, s'écrie la Grande Lucie, vite, ouvrez les fenêtres !

– Un verre d'eau, je vais chercher un verre d'eau ! dit Paul.

– Et un sucre, suggère Jérôme, elle doit être en hypoglycémie.

Chacun y met son grain de sel, mais Line sait que ce n'est ni la chaleur ni la faim. Le problème, c'est Antoine.

Antoine dont elle voit enfin le visage, traits creusés, les yeux clairs d'un bleu glacé qui transpercent Kira.

Paul est revenu avec un verre d'eau et un morceau de sucre, la Grande Lucie tente de ventiler la pièce en ouvrant et en refermant frénétiquement la porte-fenêtre. Kira s'est redressée, mais elle garde la tête baissée. Elle boit par petites gorgées. Elle qui déteste se donner en spectacle, doit être affreusement mal à l'aise : tous les regards sont braqués sur elle.

La bouche crispée, le front buté, elle lève les yeux vers Antoine. Elle le regarde avec insistance, le regard dur, puis, soudain consternée, elle s'enfouit la tête dans les mains.

Mais c'est qui ce type ? Qu'est-ce qu'il lui a fait ?

Kira boit une nouvelle gorgée d'eau, lisse son

visage des deux mains, wahhh ! elle souffle, détache ses cheveux, croise les bras.

– Je suis désolée, je ne sais pas ce qui m'a pris.

Elle se mord la lèvre inférieure et ajoute, le regard fuyant :

– C'est rien !

– Tu es sûre ? Tu es toute pâle.

Kira secoue la tête, se pétrit les mains, lèvres serrées maintenant pour ne surtout pas pleurer, mais c'est plus fort qu'elle, elle éclate en sanglots. Et Morgane et Lise se rapprochent, lui font une coque de leurs bras tandis qu'Antoine, Paul, Jérôme et la Grande Lucie s'éclipsent en silence de la pièce.

Alors Kira se met à parler d'une voix hachée. Antoine… elle l'a confondu avec un autre. Elle est folle, obsédée, elle a cru que c'était son père, le même prénom, et puis cette Kira qu'il a évoquée, la fatigue du voyage, elle ne sait pas, tout s'est mélangé. Lui, son père, elle ne l'a jamais vu, mais il existe, la preuve, c'est qu'il vient de lui écrire. C'est un salaud, un salaud. Elle s'empare du mouchoir que lui tend Morgane, se mouche. Il a fait trop de mal à sa mère. Elle parle vite à présent, mots en cascade qui se bousculent, raconte pêle-mêle sa mère qui part dans la nuit, l'entrée de l'immeuble explosée, l'hôpital dont Arizou rapporte les barquettes lyophilisées, la même bouffe que les malades, la fatigue, et la prière qu'elle devait répéter le soir quand elle était petite : «Mon Dieu, protégez mon papa, faites que là où il est il ne nous oublie pas.» Son père inconnu, les photos de lui qu'elle trouve sur internet, le temps passé à les scruter en se disant qu'il va bien finir par se manifester; c'est pour lui qu'elle travaille dur à l'école, pour qu'il soit fier d'elle quand enfin il apparaîtra dans toute sa splendeur; puis, progressivement, la lassitude, la déception et la colère, elle lâche l'affaire, l'espoir s'est transformé en rancœur, ce père, elle n'attend plus rien de lui, finalement elle le hait. Si elle continue à travailler, c'est contre lui, pour que sa mère et elle n'aient jamais besoin de son argent. Elle prépare sa revanche : elle sera avocate, et elle défendra les femmes abusées par des hommes comme lui. Mais ça, elles le savent déjà, Line et Morgane.

Kira s'est peu à peu calmée. Lorsque les adultes sont revenus, elle était redevenue elle-même. Elle s'est excusée auprès d'Antoine. Elle a été franche, elle lui a tout raconté. Il a dit qu'il comprenait, qu'il ne fallait surtout pas qu'elle soit ennuyée ou gênée par rapport à lui, et, pour une fois, la Grande Lucie s'est abstenue de tout commentaire.

Dans le grenier, le ballet des ombres s'est espacé. Chuttttt, susurre le vent à la fenêtre et le sommeil, beau papillon, ferme les yeux de Line.

Le blanc de la neige

Elles ont assuré ! « Un max », dit Line, « Grave »,
appuie Morgane, et Kira : « Vous voulez dire qu'on a
déchiré, oui ! » Et c'est vrai qu'elles ont fait une belle
performance, se succédant dans un enchaînement
bien huilé, au millimètre près, diaporama impec, des
peintures de Gauguin – essentiellement des portraits
de femmes – entrecoupées de photos des lieux où il a
séjourné, celles qu'elles ont prises en Bretagne, à Pont-
Aven et au Pouldu quand elles y sont allées à Pâques,
et d'autres encore de Panamá, de la Martinique, de
Tahiti, des Marquises, trouvées sur internet.

C'est Cordier qui leur a fait passer l'oral, elle a
tout de suite accroché, ça se voyait à sa façon de
hocher la tête pour les encourager à continuer. « Et
ça, ça aide vachement », dit Kira.

Line a parlé comme une pro du mythe du bon
sauvage, de la recherche du primitif chez Gauguin,
de sa quête sans fin entre la France et les tropiques.

Kira a été éblouissante en opposant la femme

européenne du XIXe siècle, représentée par sa femme Mette, élevée dans la religion protestante, bardée de principes et bien plus mère qu'épouse, et ses jeunes compagnes du bout du monde à la chair lisse et dorée, qui donnaient à Gauguin l'illusion d'être moins amoché par la vie qu'il ne l'était. Elle a fait son petit show sur les Blancs machos qui se croient tout permis lorsqu'ils sont à des milliers de kilomètres de chez eux. Mais elle a tempéré en disant que Gauguin restait Gauguin, qu'on ne pouvait pas réduire un artiste à sa vie, que sa peinture transcendait tout, enfin quelque chose de ce genre. Jamais Morgane n'aurait pu le dire aussi bien. Elle est éblouissante à l'oral, Kira.

Quant à Morgane, elle a parlé de la couleur chez Gauguin, de sa vibration comme dans une chanson, et des légendes qu'il revisitait et s'appropriait dans des toiles à la fois secrètes et éclatantes de beauté.

Toutes les trois, elles ont insisté sur sa rage de créer et évoqué son désespoir de vivre, sa vie de paria et sa certitude pourtant d'être un immense artiste.

C'est Line qui a eu le mot de la fin, en décrivant les derniers instants du peintre, et on s'y serait cru, aux Marquises, sur cette île lointaine de Hiva Oa, entre mer démontée et montagne refuge.

Elle a brossé le cadre par plans successifs et on se serait cru dans un tableau de Gauguin : le ciel dégagé d'un clair matin de mai, le bleu-violet de l'océan, le blanc presque phosphorescent de la houle, les masses vertes, roses, orange de la montagne derrière. Et dans la case de l'homme qui faisait des hommes, à côté de la peinture inachevée d'un village breton sous la neige – son dernier tableau, tel un retour aux sources –, le corps sans vie de Gauguin. Tioka, son fidèle serviteur, son ami, se penche sur lui, il pleure et le couronne de fleurs, puis il sort en criant : « Gauguin est mort, il n'y a plus d'homme. »

Alors, sans s'être concertées, elles se sont toutes les trois inclinées, Kira, Line et Morgane, à la manière des comédiens sur scène, pas seulement pour marquer la fin de la représentation, mais pour saluer la mémoire de Gauguin. Et elles avaient le cœur qui battait, comme si elles venaient de jouer une partie de leur vie.

En sortant, une surprise les attendait : Milo sur le trottoir – sa première sortie seul –, Milo très chic romantique en long manteau noir, clopin-clopant, ses béquilles à la main. Milo qui franchement n'aurait pas dû être là, ce n'est pas raisonnable, il n'a pas encore le droit de poser le pied par terre, mais bon, c'est Milo !

Des ailes noires

Milo est tout excité, il a quelque chose à leur montrer. Depuis que son père lui a offert de quoi dessiner, il s'y est mis à fond et il est incroyablement doué, il n'y a pas que Morgane et Line pour le dire. À partir de ses séries de croquis, il a réalisé un petit film d'animation en prévision de l'expo de Paul de Bruyn qui aura lieu dans quelques jours. Merci, la Grande Lucie !

Elle peut être sacrément agaçante, mais question efficacité, chapeau ! C'est elle qui a tout organisé. Elle a trouvé le lieu, un loft très central appartenant à de vagues amis, elle a géré le transport des œuvres et s'est même chargée des invitations. Tout ça en trois coups de cuiller à pot ! Quand on est fan, on ne compte pas !

Son film, Milo aimerait le leur montrer tout de suite, en avant-première en quelque sorte, avant de le soumettre à son père. Son rêve, c'est qu'il soit projeté en marge de l'exposition. Paul de Bruyn n'en sait encore rien, Milo croise les doigts pour qu'il soit d'accord.

– Oui, mais alors vite fait, dit Kira, qui est un peu stressée.

C'est un scoop : elle a rendez-vous avec son père. Elle dit et répète que si ça n'avait tenu qu'à elle, elle n'aurait jamais accepté cette rencontre, qu'elle le fait vraiment pour sa mère, parce que Arizou est métamorphosée depuis qu'il a refait surface. Oubliées, toutes les années d'incertitude et de galère, l'important pour sa mère, c'est que si par malheur il lui arrivait quelque chose, si elle tombait malade ou pire encore, si elle mourait, sa fille ne se retrouverait pas sans famille. «Mais, attention, a précisé Kira, je ne vais pas passer ma vie avec lui, je ne le vois qu'une fois, et après, basta !»

Milo béquille comme un grand échassier, les pans de son manteau battent à chacun de ses pas comme deux grandes ailes noires. On dirait qu'il vole.

– Il faut être privé de ses jambes pour réaliser que marcher est un luxe.

Il est radieux, Milo. Morgane est obligée de courir pour se maintenir à son niveau, tandis que Line et Kira, qui ont renoncé à faire la course, suivent à bonne distance derrière.

Péné les attend dans l'appartement. Elle est à peine reconnaissable avec ses cheveux courts et sa tenue

– pantalon slim et veste courte à carreaux violets – qui mettent en valeur une véritable silhouette de top-modèle.

– Tu es trop belle, maman, murmure Line en l'embrassant.

– Comment ça s'est passé ?

– Disons qu'on n'est pas mécontentes !

– Je vous ai préparé des tapas pour fêter ça... et le reste.

Dans « le reste », il y a la guérison de Milo, bien sûr, mais aussi, pour elle, la perspective d'une nouvelle vie. Elle vient d'obtenir de son cabinet de conseillers fiscaux l'autorisation de prendre un congé de formation d'un an qui lui permettra d'entamer une reconversion professionnelle. Elle veut se lancer dans le montage de projets artistiques. Elle a sa petite idée et il semblerait que la Grande Lucie, qu'elle a rencontrée par l'intermédiaire de Paul – elle lui a donné un coup de main pour les invitations à l'exposition – ne soit pas étrangère à cette nouvelle orientation.

Marquise, qui aime la visite, slalome entre les jambes des uns et des autres à grand renfort de ronronnements, tandis que Clovis fait circuler les boissons, des cocktails à base de fruits et de légumes orange, rouges et verts qu'il a lui-même confectionnés à la centrifugeuse : carotte-citron, betterave rouge, épinard-pomme verte.

– Ça a l'air vraiment dégueulasse, tes mixtures, dit Milo d'un air dégoûté, tu n'aurais pas un Coca ?

– Ah ben, je vois que tu es complètement guéri : tu es enfin aussi désagréable qu'avant !

Milo rigole :

– Tu devrais plutôt me remercier de ne pas t'encourager à persévérer dans une voie vouée à l'échec. Allez, viens m'aider à préparer la projection, Kira est pressée.

Clovis file chercher l'ordinateur portable de son frère et l'ouvre sur la table, il dispose quelques chaises, les autres s'assiéront par terre. Chacun prend place, cinq paires d'yeux sont braquées en direction de Milo qui, visiblement ému, s'éclaircit la gorge.

– Maintenant que vous êtes tous là, je me demande si c'était la peine de vous déplacer pour si peu.

Les filles se moquent de lui :

– Arrête de faire ta chochotte et envoie l'image !

Milo lance la vidéo.

Chien rouge, c'est bien toujours lui : l'oreille basse, le museau collé au sol. Mais là, il bouge, il bouge vraiment, « C'est dingue comme c'est bien fait ! » s'extasie Kira. Il va dans un sens, il va dans l'autre, il lève la tête, la patte, hume l'air. Il est irrésistible quand il s'assied sur son arrière-train et dresse alternativement l'oreille droite puis la gauche.

Soudain, le rythme change, le tempo s'accélère, il prend son élan, et hop ! il se propulse en l'air, opère une rotation sur lui-même, jambes carpées, et encore une deuxième dans la foulée, avant de retomber sur le sol, corps ouvert, pattes à demi fléchies et bien parallèles dans un impeccable salto arrière. Alors, la patte avant gauche sur le cœur, il salue et aussitôt repart, nez au sol, dans un sens, dans l'autre… ça continue comme ça en boucle, sur un petit rap concocté par Milo, sa voix chaude sur un fil de guitare électrique, une ligne de basse dans le fond :

> *Où tu vas, chien rouge, qu'est-ce tu fais ?*
> *T'es un drôle de cabot, tu sais.*
> *Sans collier ni maître, jamais,*
> *tu vis ta vie de chien libre et vraie,*
> *une vie d'artiste, ouais.*
> *Allez le chien, s'te plaît !*
> *Fais-nous ton p'tit numéro, ouais !*

– Et voilà, c'est tout, dit Milo. Je vous avais prévenus que ce n'était pas grand-chose. Juste une pirouette… comme dans la vie.

Chronologie de la vie de Paul Gauguin
(1848-1903)

7 juin 1848 : naissance de Paul Gauguin à Paris. Son père est journaliste, sa mère est la fille de Flora Tristan, écrivain et féministe d'origine péruvienne.

1851 : la famille part pour le Pérou. Le père meurt durant le voyage. Séjour de quatre ans à Lima.

1865 : Paul Gauguin s'engage dans la marine marchande.

22 novembre 1873 : jeune agent de change, il se marie avec Mette, une Danoise dont il aura cinq enfants.

1883 : Paul Gauguin, qui s'est mis à la peinture, perd son emploi.

1884 : Sa femme quitte Rouen où ils ont

emménagé et s'installe au Danemark avec les enfants. Il la rejoint, puis retourne à Paris.

1886 : premier séjour à Pont-Aven.

1887 : départ pour Panamá. Il séjourne à la Martinique.

1888 : second séjour à Pont-Aven, puis à Arles, chez Vincent Van Gogh. Il retourne à Paris après l'épisode de l'oreille coupée.

1890 : il partage son temps entre Paris et Le Pouldu.

1891 : il embarque pour Tahiti, où il reste deux ans. À son retour, il vit à Paris, à Pont-Aven et au Pouldu.

1895 : Retour à Tahiti. Il est très déprimé.

1897 : Il tente de se suicider.

1901 : Paul Gauguin quitte Tahiti pour les îles Marquises. Il se construit une maison à Atuona.

8 mai 1903 : mort de Paul Gauguin à Atuona, à l'âge de 54 ans.

Marie Sellier

L'art est un champ vaste comme le monde.

Ce champ, voilà maintenant plus de vingt ans que Marie Sellier l'explore, sous toutes ses formes, avec un enthousiasme qui ne se dément pas. Elle a écrit une centaine de livres, et créé de nombreuses collections aux éditions de la Réunion des musées nationaux, chez Paris Musées et aux éditions Nathan. Ses livres sont traduits dans de nombreuses langues.

Dans ses romans, elle a choisi d'approcher les artistes par le biais de la fiction en mêlant éléments biographiques et imaginaires.

Elle est également scénariste pour la télévision et le cinéma.

Quelques livres du même auteur

Aux editions Nathan

Journal d'Adeline, un été avec Van Gogh
Le Sourire de ma mère, une année avec Léonard de Vinci
Le Fils de Picasso
Cœur de pierre
Mes 10 premiers tableaux
Collection « Entrée libre » : *La Peinture entrée libre,*
Arts primitifs entrée libre, Impressionnisme entrée libre,
Arts décoratifs entrée libre, Poésie entrée libre

N° d'éditeur : 10204193
Imprimé en juillet 2014 par Jouve (53100 Mayenne, France)
N° 2163742P